성경의 숫자들

피터 S. 럭크만 지음 · 편집부 옮김

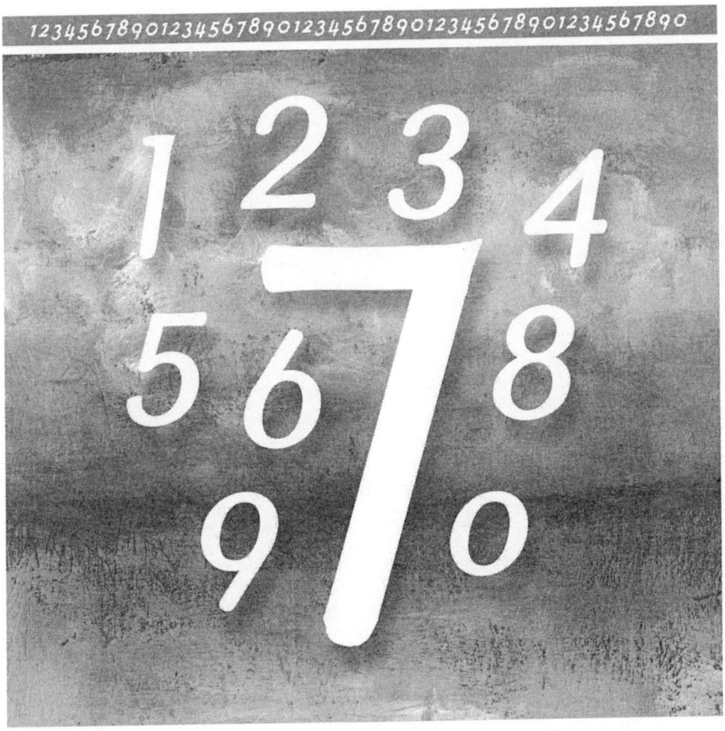

말씀보존학회

Bible Numerics

By

Dr. Peter S. Ruckman

Bible Baptist Bookstore

Pensacola, Florida

2015 / Korean by Word of God Preservation Society

Seoul, Korea

차 례

이 책에 인용된 성경 구절은 〈한글킹제임스성경〉입니다.

서문

성경을 거부했던 알버트 아인슈타인(1879-1955)은 자신이 무신론자가 된 이유에 대해 "수학 공식이 아닌 하나님"을 믿을 수 없었기 때문이라고 밝혔다. 이 거듭나지 못한 자연인은 자기 망상 속에 하나님을 제멋대로 규정지어 놓고는, 자신을 그리스도께로 인도하려는 복음 전파자들의 모든 시도를 거부해 버렸다. 그는 적그리스도처럼 숫자에 능한 사람이었다(〈짐승의 표, 피터 S. 럭크만, 말씀보존학회, 1997〉 참조).

구원받지 못한 사람들은 모두 눈멀고 무지한 자들이다(롬 10:3, 벧후 3:5, 엡 4:18). 이 무지의 전당에서 한걸음 더 나아간 사람이 바로 아인슈타인이었다. 그는 구십 평생을 사는 동안 자신의 생각과 반대되는 성경적 진리에 대해 한 번쯤 시간을 투자해서 숙고해 보는 일조차 거부했던 지독한 머저리였다. 그런데 지금까지 발견된 모든 명백한 "과학" 법칙들을 훨씬 능가하는 수학적 현상이 성경에서 발견된다. 이런 현상은 성경이 초자연적으로 구상되었고 기록되었으며 보존되었다는 사실과, 또 그 모든 과정이 세계가 문명화된 이후 지금까지 지상에 살았던 혹은 현재 생존하고 있는 그 어떤 인간의 책에서도 발견할 수 없는 놀라운 수학적 기초 위에서 이루어졌다는 사실을 논증하고 있다. 아인슈타인의 "의미이론"에 따르면 그렇다는 것이다.

성경은 인간들이 예측은 고사하고 "짐작"조차 할 수 없었던 사건들을 조금의 주저함도 없이 거듭 반복해서 예언하고 있는데, 여기에서 우리는 수학적인 기적을 목도하게 된다. 소위 예언자들이라고 불리는 매들린 머레이 오헤어, 진 딕슨, 노스트라다무스 그리고 에드가 케이시 같은 사람들의 말 따위는 하나님의 말씀과 같은 범주로 묶을 수 없음은 물론 그 근처에도 못 미친다. 예를 들어 성경은 한 사람이 태어나기 이전에 그분에 관한 40여 가지의 내용들을 상세하게 예언했다. 그 중에는 그분이 탄생하기 1,000년 전에 선포된 예언들도 있었다. 게다가 "모든 예언은 문자 그대로 이루어졌다." 수학적으로 이러한 예언들이 일어날 수 있는 확률은 하이젠베르크의 "불확정성원리"(uncertainty principle)와 아인슈타인의 수학적 계산에 따르면 $1/10^{157}$이다. 10^{157}은 "1"뒤에 "0"이 157개 붙어 있는 숫자인데, 우주에 널려 있는 전자의 수를 다 합쳐도 그만큼은 되지 않는다.

성경 속의 수학을 아인슈타인의 저속한 싸구려 수학과 같은 수준으로 평가절하하는 우를 절대 범하지 말아야 한다. 성경은 아직 일어나지 않은, 미래에 일어날 사건에 관해 500여 가지의 예언을 구체적으로 제시하고 있다. 그중 가장 오래된 것은 3,500년 전에 예언된 것이다. "한 사람"을 다루고 있는 "하나의 역사적인 사건"에 관한 500여 가지의 상세한 예언들이 미래에 일어날 확률은 $1/10^{8000}$ 이상이다. 진정한 수학의 창시자이신 하나님께서는 이 우주를 매우 수학적으로 운영되도록 만드셨기 때문에, 누구나 그 사실을 쉽게 목도할 수 있다.

아인슈타인은 어리석은 자였다(시 14:1). 마흐, 하이젠베르크, 슈바이처, 바이스코프, 페스탈로치, 젠틸레, 듀이, 러셀 등과 마찬가지로 교육을 가장 잘 받은 멍청이였던 것이다.

〈킹제임스성경〉 안에는 이런 놀라운 수학적인 현상뿐만 아니라, 반론의 여지가 전혀 없는 장과 절을 표시하는 독특한 숫자들이 들어 있다. 제리 루카스(1978)는 그렇게 자연스럽게 나타나는 하나님의 손길을 파괴할 목적으로, 배교자들인 웨스트코트와 홀트의 헬라어 성경과 한통속인 네슬판 헬라어 본문이 "영감받았다"고 입증해 보이려 했다(이에 관하여 철저하게 분석해 놓은 〈Problem Texts, Peter S. Ruckman, 1980〉를 참조할 것). 하지만 이런 어설픈 행동은 소위 "추가된" 절과 장이 표시되어 있는 〈킹제임스성경〉 본문에 비하면 그리 대단할 것도 없다. 현재 〈킹제임스성경〉 본문에 표시된 그대로 장과 절의 표시들을 사용했던 사람은 그 누구라도, 그 표시들을 제외시켜야 한다고 생각했던 어리석은 자들, 곧 로버트슨, 메이첸, 홀트, 데이비스, 그레고리, 와필드, 커스터, 아프만, 마틴 등과 같은 학자들보다 "성경의 숫자들"(Bible Numerics)에 관한 한 더 깊은 통찰력을 지니고 있었다.

성경의 숫자들에 관해 고찰한 이 작은 소책자를 통해서, 모든 독자들이 성경을 펴 놓고 "이 내용들이 정말로 그러한지 아닌지 면밀하게 살펴볼 수 있기를" 바란다. 성경에서 "열셋"이란 숫자가 등장하는 내용의 85%가 부정적인 주제를 다루고 있다면, 아인슈타인보다 지각이 더 부족하지 않고서야 그와 같은 진리를 무시할 리 만무하다. 그런 문제에 관해서라면 구원받지 않은 도박자가 아인슈타인보다 훨씬 더 낫다. 이는 숫자들의 "의미"를 확정하는 데 있어서 반드시 100%가 필요한 것은 아니기 때문이다.

100%에서 15%가 부족하다고 해서 85%가 지니는 가능성에 대해 무시하는 사람을 지성인이라고 인정해 줄 수 없는데, 적어도 "숫자들"과 "확률"에 관한 문제를 다룰 때는 그렇다. 80%의 확률만 되도 전문 음식점들에게는 투자 가치가 매우 높은 편이다. 반면 〈킹제임스성경〉의 권위에 반대하는 교수진에게는 그것이 낮게 보일 뿐이다. 물론 85% 정도만 하나님의 말씀을 담고 있는 성경을 용납하는 것은 아니다. 그런 종류의 성경을 가지고 있는 배교자들은, 성경을 단순히 하나님의 말씀을 "포함하는" 책 정도가 아니라 "하나님의 말씀"으로 믿는다고 공공연하게 거짓말을 하고 있는데, 사실 그들은 그렇게 말할 자격이 없다. 왜냐하면 그들이 갖고 있는 85%만 하나님의 말씀인 성경은 그 안에 15%의 오류가 "포함되어" 있기 때문이다.

이에 반해 "숫자들"을 다룰 때에는, 어떤 숫자가 열 번 중에 여덟 내지 아홉 번 정도의 경우에서 "한 가지 동일한" 주제를 언급하고 있다면(일례로 "사십"이라는 숫자), 그것은 바로 그 주제를 의미하고 상징하는 숫자라고 확신해도 좋다.

나는 독자들이 이 소책자를 즐겁게 공부하는 가운데 성경 속에 등장하는 숫자들의 의미에 관한 기본적인 구도를 잘 이해할 수 있으리라 생각한다. 이 책에 사용된 "성경"은 당연히 무오하고 흠이 없는 살아 계신 하나님의 살아 있는 말씀, 곧 〈킹제임스성경〉이다.

CHAPTER

1

성경 속 숫자들

✍ 성경 속 숫자들

숫자들은 우주의 기능 및 작용과 다소 연관된다는 점에서 참으로 특이한 부류이다. 말하자면 수학은 정밀한 과학인 것이다. 숫자들은 색깔들처럼 각기 나름의 보편적인 의미를 지니고 있다. "미신"으로 분류되는 경우를 감안해도 이러한 보편적인 의미를 부인할 수는 없다.

인생을 살다 보면 알게 된 지 얼마 안 있다가 익숙해지는 특정한 대상들이 있는데, 이런 것들은 부가적인 증거 자료가 더 이상 필요 없을 만큼 분명한 사실들로 인식된다. 일례로 붉은색을 들 수 있는데, 이것은 무엇을 의미하는 색인가? 무엇을 상징하고 있는가? 그 답을 모르는 사람은 아무도 없을 것이다. 붉은색이 아프리카나 일본, 쿠바 또는 네브래스카 주에서 의미하는 것과 중국에서 의미하는 바가 다르지 않기 때문이다.

혹자는 "음악이 국적을 초월하는 보편적인 언어이다."라고 말한 적이 있다. 이 말은 사실이다. 글렌 밀러의 〈인 더 무드, In the Mood〉란 곡을 들을 때 러시아 사람이나 뉴욕 시민이나 느끼는 감정은 동일하다.

그러니까 변하지 않는 보편적 의미를 지닌 특정한 대상들이 있는 것이다. 우리가 성경에서 숫자들에 대해 이야기할 때는 단순히 이런 의미로 말하는 것이다. 즉 성경이 하나님께서 기록하신 책이라면(물론 이 사실에 대해서는 추호도 의심의 여지가 없다), 정말로 하나님께서 기록하셨다면, 성경은 보편적인 상징들을 명시하고 규정해야만 한다. 말하자면 진리의 저자이신 성령께서는 진리가 그분 자신의 존재와 성품의 본질인 것처럼 진리에 의거하여 진리를 계시하셔야 하는 것이다. 하나님께서 우주 안에 확립하시고 규정해 놓으신 조화와 법칙들은 그분 자신의 신격과 상관관계가 있으며 그분 자신을 나타내시는 것과 연관되어 있어야 한다. 이 주제에 대해 아주 훌륭하게 다룬 책 한 권이 있는데, 곧 〈The Answer to About Everything〉이다. 삼위일체에 관해 다루고 있는 이 책은 삼위일체가 하나님의 기본적인 속성이자 본질이기 때문에, 그렇게 "셋"으로 구성되는 삼중성, 곧 삼중적인 공식은 시공간을 포함하여 우주 안에 있는 모든 것들에서 발견된다는 사실을 증명하고 있다. 이 책의 저자는 그러한 사실을 실제로 입증해 냈다.

따라서 우리가 숫자들을 다룰 때에는 기본적인 어떤 사실을 다루고 있다고 봐야 한다. "하나"라는 숫자는, 교육받은 정도를 막론하고 어떤 대상, 시대, 장소, 상황을 초월하여, 사람들의 생각 속에 그 숫자와 연관된 특정한 사실들을 의미하는 것으로 인식되어 있다. 즉 동남아 및 오세아니아 등지의 니그리토나 아프리카의 피그미족이 생각하는 "하나"의 개념이 뉴욕 월 스트리트의 중개인들이 생각하는 개념과 기본적으로는 동일한 것이다.

숫자를 사용하거나 적용하는 방법에 관하여 이견을 가진 사람들이 있을지 모르지만, 오스트레일리아 오지의 언덕에서 땅 개미들과 곤충들을 찾아다닐 정도의 지각이 있는 사람이라면 "하나"와 "둘"의 차이를 모를 리가 없다. 그 차이를 모르는 사람이 있었다면 그는 당연히 정상적인 삶을 살기가 쉽지 않았을 것이다. 한 손으로는 할 수 없고 두 손으로 들어야 하는 특정한 대상들이 있다는 사실을 누구나 잘 알고 있다. 그건 사실이다. 미국 공동 주택가 뒷골목에 사는 매우 비천한 흑인일지라도, 외눈보다는 두 눈을 가지고 있는 편이 더 낫고 한쪽 눈을 잃으면 정상적인 시야를 확보할 수 없다는 사실쯤은 알고 있다.

그만큼 숫자는 인생에서 본질적인 문제에 속한다. 나는 이 문제를 성경을 근거로 다룰 것인데, 절대적인 진리의 저자께서 성경의 계시를 통해 우주의 본질적인 문제, 곧 "숫자들"을 기반으로 세워 두신 목적이나 계획 또는 일정한 양식이 무엇인지 독자들에게 보여 줄 것이다. 그렇다고 해서 여기에서 제시하는 "체계"가 무오하다든지, 이러한 숫자들이 항상 같은 것만을 말하고 있다든지, 아니면 매번 모든 면에서 어느 누구에게나 동일한 의미를 지니고 있다고 말하는 것은 아니다. 일례로 "열셋"이라는 숫자가 불길한 의미를 지닌다고 말할 때, 그것은 수학의 여타의 법칙들과 마찬가지로 일반적인 사실로서 이야기하는 것이다. "글쎄요, 수학 법칙은 일반적인 사실이 아니라 언제나 불변하는 법칙인데요."라고 말하는 사람이 있을지 모른다. 사실은 그렇지 않다. 오늘날 사람들이 배우는 고등 수학은 불변하는 법칙으로 고정되어 있지 않다. 아인슈타인의 상대성 이론은 고정된 이론이 아니다. 그러므로 이 책에서 이러한 내용들을 언급할 때, 숫자들이 매번 어느 구절에서든지 똑같은 것만 의미한다고 말하지는 않을 것이다. 이는 그렇게 말하는 것 자체가 하나님의 속성에 어긋나기 때문이다.

가령 앞에서 열셋이라는 숫자가 나쁜 숫자라고 말했는데, 그렇다고 이것이 그리스도인의 삶과 결부될 때에도 나쁜 의미를 지니는가 하면 꼭 그렇지는 않다. 로마서 8:28에서는 『**우리가 알거니와... 모든 일이 합력하여 선을 이루느니라**.』고 말씀하기 때문이다. 바로 이 "모든 일" 안에는 열셋이란 숫자도 포함되어 있음을 기억해야 한다. 따라서 이런 숫자들의 의미가 절대적으로, 수학적으로, 매번 딱 부러지게 고정되어 있다고 말할 수는 없다. 다만 성경 안에는 그 숫자의 의미에 대한 정보가 충분하게 들어 있으므로, 의도를 가지고 이 성경을 만드신 "설계자"(Designer)께서는 창조를 "시작하신 분"(Author)이요, 진리를 "계시하시는 분"(Revealer)이라는 사실을 알게 되는 것이다. 정보는 충분히 있다. 이제 이 정보를 가지고 성경에 나오는 숫자들의 세계를 하나씩 하나씩 들여다보도록 하자.

CHAPTER 2

숫자들의 의미

1 하나(One)

숫자 "하나"는 "일치"를 의미한다. 말 그대로 "하나"인 것이다. 라틴어 "우눔"(unum, 하나)과 영어 "united"(연합된), 라틴어 "우니타스"(unitas, 유일성), 영어 "unity"(일치), 스페인어 "우노"(uno, 하나) 등의 단어들은 그 의미를 분명하게 보여 준다. 하나는 "안정"을 의미하고 고정된 숫자로서 절대적인 의미를 지닌다. 이 숫자는 성경 안에서든지 밖에서든지 어디에서나 발견되는데, 그것은 일치, 안정, 힘을 지닌 어떤 것과 연관되어 있다. 공산주의자들은 이 숫자를 즐겨 사용한다. "연합 운동"(United Drive), "연합 자금"(United Fund), "연합 평화 봉사단"(United Peace Corps)이란 용어들은 모두 "하나"(unitas, unum, unos, one)란 단어에서 나왔다. "하나님 아래에서" 절대 나눌 수 없는 하나의 국가이지만, 여기에서 "하나님"을 지워 버리고 첫 번째 계명을 제거함으로써 두 번째 계명만 남겨 놓은 "하나의 국가"와 하나의 국민들만 있는 것이다.

하나님의 말씀에서 "하나"라는 단어가 처음 등장하는 곳은 창세기

1:9이다. 『**하늘 아래의 물들이 한 곳으로 함께 모이고 마른 곳이 드러나라.**』 그 이후로 하나라는 단어는 일일이 다 열거하기 어려울 만큼 여러 번 나타난다. 그야말로 수백 번 정도 나온다.

이스라엘을 향해 하신 위대한 말씀 가운데 신명기 6:4이 있다. 『**오 이스라엘아, 들으라. 주 우리 하나님은 한 분 주시니**』, 이 말씀에서 "한 분"이라는 단어는 일반적으로 "복수이면서도 연합된 하나의 개체"를 의미한다. 즉 단일 개체가 아니라 "하나의 단일 연합체"인 것이다. 이 단어를 히브리어로 보더라도, 어떤 다른 것과도 연계되지 않은 그 자체로서의 단독적인 단일성이라기보다는 오히려 "다수로 구성된 단일성"을 의미하고 있다.

그러므로 두 말할 것 없이 하나는 "연합"을 의미한다. 세상은 이 연합을 향해 나아가고 있는데, 즉 성경과 함께하는 연합 대신에 유니테리언교도나 UN 또는 연합 교회의 성서와 함께하는 연합을 추구하고 있는 것이다. 그들이 원하는 것은 일치이다. 그런데 그들이 추구하는 하나 됨이 무엇을 의미하는가는 창세기에서 "하나"라는 단어가 또 다시 등장할 때 사용된 용례를 통해 가장 명확하게 드러난다. 이 단어는 창세기 1:9에서 처음으로 등장하지만, 그 단어의 의미를 상세하게 설명해 주는 사례가 창세기 11장에 나온다. 즉 그 당시에 땅에는 하나의 언어와 하나의 말만 있었다. 그리고 하나님께서는 창세기 11:6에서 『**백성이 하나요**』라고 말씀하셨다. 더욱이 그들 모두는 탑을 세우는 일을 하려고 한 생각을 품었으니, 이에 주께서는 "내려가시어 그들을 해산시킬 것"이라고 말씀하셨다. 그래서 그들을 온 지면에다 멀리 흩으셨던 것이다. 하나라는 단어, 곧 "하나"라는 수는 그 단어의 의미가 보여 주듯이 "연합의 힘"을 상징한다. 바울이 믿는 성도들에게 한 생각이 되고 같은 생각을 가지길 원한다고 말한 것은 바로 이런 의미에서이다. 그러니까 『**한 몸**』(엡 4:4), 『**한 분 주**』(엡 4:5), 『**한 믿음**』(엡 4:5), 『**한 분 성령**』(엡 4:4), 『**한 침례**』(엡 4:5)에 대해 말할 때, 바울은 똑같은 것, 곧 모든 것이 "하나"로 일치되어 연합되는 올바르고 절대적인 유일한 것을 언급하고 있는 것이다. 이처럼 "하나"라는 단어에 대해서는 어떤 문제나 이견을 가질 수 없다.

성경은 『**남자가 자기 아버지와 자기 어머니를 떠나서 자기 아내와 결합하리니, 그들이 한 몸이 될 것임이니라.**』(창 2:24)라고 말씀한다. 이렇게 "하나"라는 단어는 계속해서 연합을 나타내고 있다. 물론 이것은 둘이 하나가 되는 연합일 수도 있고, 셋 또는 다섯, 열, 백 등 그 이상의 것들이 하나가 되는 연합일 수도 있다. 그러나 어쨌든 하나라고 하는 것은 그 단어가 의미하는 바와 같이 단일 개체인 것이다. 하나님의 말씀 어디를 보더라도 이 의미를 벗어나지 않는다. 이에 대해서는 어떤 이견이 있을 수도 없다.

2 둘(Two)

다음으로 살펴볼 수는 "둘"이다. 성경에서 사용되는 둘이라는 숫자의 용례는 그 외에 다른 곳에서 사용되는 용례와 다르지 않은데, 즉 이것은 "분리"를 암시한다.

아모스 3:3에서는 『**두 사람이 동의하지 않고 함께 걸을 수 있겠느냐?**』라고 말씀한다. 창세기 2장에서는 아담의 옆구리가 갈라졌는데, 곧 옆구리가 절개되었던 것이다. 결국 하나의 단일체인 그의 몸은 손상되었고, 그 손상된 몸에서 한 여인이 나옴으로써 둘이 되었다. 성경은 창세기 2장에서 아담이 자기를 위해 돕는 자를 찾지 못했으므로 바로 그 창세기 "2장"에서 그가 둘이 되었다고 말씀하는 것이다. 어떤 사람은 이에 대해서 "글쎄요, 지나친 비약이 아닐까요?"라고 반문할지도 모른다. 물론 그럴 수도 있다. 하지만 설사 그렇다 하더라도 그렇게 말하는 것이 전혀 이상한 것도 아니다. 당신은 〈킹제임스성경〉의 번역자들이 장과 절을 표시해 넣을 때 그러한 사실을 알았을 것이라고 생각하지는 않을 것이다. 물론 그들이 알았을 리가 없다. 그런데 성경에서 "둘"이라는 숫자가 등장하는 다른 곳에서도 이와 똑같은 현상이 발견된다. 이에 대해 상세한 설명까지 할 필요도 없다. 분명 "둘"은 분리를 의미한다. 전도서를 기록한 현자는 4:9에서 『**둘이 하나보다 더 나으니**』라고 말하는데, 여기에서 둘은 당연히 한 남자와 한 여자를 의미한다. 그러나 성경은 이들이 비록 "둘"이라 할지라도 "하나"가 되라고 언급하며, 이들 둘 사이에는 분리가 없어야 한다고 말씀한다. 만일 그들 사이에 분열이 일어나면, 그것은 이상적인 상황이 아니다. 전혀 성경적이지 않은 것이다. 이처럼 둘은 그것이 의미하는 바 "분리"를 상징한다.

이스라엘 지파들의 분리가 오래전 민수기에서 시작되었고 그리스도의 시대까지 그러한 분열이 지속되었다는 사실이 이상하지 않은가? 민수기로 돌아가 보면 당시에 "두 부류"의 정탐꾼들이 있었음을 알게 된다. 그런데 그들 중 열 명에게는 믿음이 없었지만, 다른 두 명에게는 믿음이 있었다. 결국 진영은 둘로 양분되고 말았다. 솔로몬 사후 르호보암의 때에 이스라엘 지파는 남쪽의 두 지파와 북쪽의 열 지파로 다시 둘로 나뉘었다. 또한 야고보와 요한은 예수님께 와서 다음과 같이 말씀드렸다. 『**주님의 영광 가운데서 우리 중의 하나는 주의 오른편에, 하나는 왼편에 앉게 해주소서**』(막 10:37).

당신은 구약이 주요 두 부분, 즉 율법과 선지서들로 나누어지는 것을 알고 있는가? 예수님께서는 율법과 선지서들 그리고 시편으로 좀 더 세분하셨지만, 바울은 『**율법과 선지서들을 통해 증거된 것이니라.**』(롬 3:21)고 언급함으로써 둘로 구분하고 있다. 이렇게 "율법과 선지서들"로 구분하는 것이 일반적이다. 엄밀히 말하면 성문서(writings)와 율법(law)과 선지서(prophets), 세 부분으로 구분할 수 있지만, 우리는 성경에서 "율법과 선지서들"이라는 표현을 자주 보게 된다. 그러니까 주로 둘로 구분하는 것이다. 특히 율법과 선지서들을 대표하는 주요 인물은 모세와 엘리야다. 이것이 바로 기본적인 구분이다. 엘리야는 선지서들을 대표하고 모세는 율법을 대표함으로써 둘로 나뉘게 된다. 사실 구약을 세 부분으로 나누는 것도, 그것을 구분하는 구분점이 두 개가 있기 때문에 가능한 일이다. 즉 하나의 경계가 율법과 선지서들 사이에 있고, 선지서들과 성문서 사이에 또 다른 경계가 있는 것이다. 이 "두" 경계에 서 있는 "두" 사람이 바로 모세와 엘리야이다. 이 말이 이상하게 들리는가? 당신은 그리스도의 재림 전에 모세와 엘리야가 다시 돌아온다는 사실을 알고 있을 것이다. 그들은 사람들에게 그리스도의 재림에 대해 예고해 줄 것이다. 그리고 그리스도께서 오실 때, 올리브 산은 둘로 갈라지게 된다(슥 14:4). 이처럼 "둘"이란 단어에는 분명 분리의 의미가 암시되어 있는 것이다. 사실 정신분열증은 인격이 분리되는 것인데, 이것은 한 사람 안에 두 사람이 있다든지 또는 한 사람 안에 두 인격이 들어 있는 것을 의미한다.

소돔으로 들어와서 롯을 성읍 밖으로 끌어낸 천사는 두 명이었다. 잘 알다시피 이 일로 인해 그의 가족은 둘로 완전히 쪼개졌다. 그리고 그에게는 함께 빠져나온 두 딸이 있었다. 성경에서 두 딸이 등장하는 사례는 많다. 라반에게도 딸이 두 명 있었다.

물론 미개한 원주민들 중에는 쌍둥이가 좋지 않다는 미신에 사로잡힌 나머지 쌍둥이가 태어나면 곧바로 매장시키거나 살해시키는 부족들이 있다. 여러 아프리카 부족들에서는 쌍둥이들이 여전히 살해되고 있는데, 그들을 낳은 산모까지 살해되기도 한다. 이유가 무엇인가? 둘은 분리를 의미하기 때문이다. "둘이라는 숫자가 분리를 상징한다."는 것은 매우 자명한 사실이다. 그래서 둘이라는 단어가 관련될 때는 여간해서 "좋은 의미"를 찾아보기가 어렵다.

성경에서 둘이라는 단어가 처음 등장하는 것은 창세기 1:16이다. 하나님께서는 두 개의 광명, 곧 해와 달을 만드셨다. 주님께서 이것들을 만드신 목적이 무엇이라고 말씀하시는가? 밤으로부터 낮을 나누기 위해서, 곧 어둠으로부터 빛을 나누기 위해서 그 둘을 "나누셨던" 것이다. 그렇게 해서 하나는 낮을 주관하는 태양이 되었고 다른 하나는 밤을 주관하는 달이 되었다. 이처럼 "둘"이 상징하는 바는 분명한데, 곧 "분리"인 것이다. 따라서 둘이라는 단어가 나오는 대부분의 경우에서 그러한 의미를 발견하게 되고 그 이면에는 그런 기본적인 의미가 깔려 있게 된다. 이렇듯 "하나"는 "연합"이고, "둘"은 "분리"인 것이다.

3 셋(Three)

둘과 하나를 합하면 "셋"이 된다. "일치 안에서의 분리"라든지 "분리 가운데서 일치"라든지 하는 것은 셋을 만들어내는, 곧 일종의 삼중적인 특징을 지닌 공식(trinitarian formula)이다.

우리는 이러한 특징을 "삼위일체"를 통해 분명히 보게 된다. 삼위일체는 두 번째 인격에서 나뉜다. 이는 성경이 하나님께서 한 영이시라고 말씀하고 있고(요 4:24) 성령께서 영이시라는 말씀도 나오지만, 아들께서는 "사람"이셨기 때문이다. 바로 여기에서 나뉘게 되는데, 곧 둘과 하나로 구분되는 것이다. 그래서 셋은 삼중적인 속성, 삼중적인 일치, 삼중성이다. 셋이란 숫자와는 달리, 둘은 분명 "분리"라는 사실을 유념해야 한다. 물론 신격에 관한 한 어떠한 논쟁의 여지도 없다. 성령께서는 아가보가 『**성령께서 이렇게 말씀하시기를**』(행 21:11)이라고 말하는 사도행전에서 주님(Lord, 행 21:14)으로 불리시고, 고린도후서에서는 『**주는 그 영이시니**』(고후 3:17)라고 말씀한다. 또한 예수 그리스도께서는 영원하신 아버지로, 그리고 그 외에 신격을 나타내는 다른 호칭들로 불리신다. 그러나 실제적인 위치로 볼 때, 세 분 가운데 오직 한 분만이 육신으로 나타나셔서 땅 위에서 실제로 활동하셨는데(즉 실제로 육신을 입으셨다는 것이다), 이분이 바로 "아들 하나님"이셨다. 예수님께서는 이렇게 말씀하셨다. 『**나를 본 자는 아버지를 보았느니라**』(요 14:9). 물론 이때 주께서 말씀하신 것은 아버지의 혼이지, 아버지의 몸은 아니었다. 또 주께서는 『**너는 내가 아버지 안에 있고 또 아버지께서 내 안에 계시는 것을 믿지 아니하느냐?**』(요 14:10)라고 물으셨고, 『**내가 아버지로 말미암아 사는 것같이... 그 사람 역시 나로 말미암아 살리라.**』(요 6:57)라고 말씀하셨다. 말하자면 주 예수 그리스도께서는 삼위일체 안에서 아버지 하나님과 함께 소위 "2인조"가 되시는 것이다. 이렇게 나누시는 분께서는 삼위일체 가운데 한 분으로서 육신이 되시고 죽으신다. 반면 하나님께서는 죽으실 수 없다.

그런데 "셋"은 무언가를 결합시킨다. 보편적으로 사람들은 셋을 "행운"의 숫자로 생각한다. 이 세상에 어떤 언어나 민족 혹은 부족에서도 셋을 불길한 숫자로 생각하지 않는다. 그리고 셋은 모든 부분에 있어서 기본적인 구조가 된다. 예를 들면 다음과 같다. 시간은 과거, 현재, 미래, 세 개로 나뉜다. 공간도 길이, 너비, 깊이, 셋으로 구분된다. 사람도 세 부분으로 나누어진 속성을 지니는데, 곧 몸, 혼, 영이다. 하나님 아버지께서도 삼위일체의 속성을 지니시는데, 즉 아버지 하나님과 아들 하나님과 성령 하나님이시다. 이처럼 셋은 무언가를 다시 결합시키는 숫자인 것이다.

당신은 성경 그 자체에 대해 궁금해해 본 적이 있는가? 성경은 두 개의 언약(Testament), 곧 신약과 구약으로 구분된다. 그런데 구약은 저주로 끝나고(말 4:6), 신약은 『**그러하옵니다. 주 예수여, 오시옵소서. 우리 주 예수 그리스도의 은혜가 너희 모두와 함께 있을지어다. 아멘.**』(계 22:20,21)이라는 말씀으로 끝이 난다. 이를 통해 우리는 진정한 구분을 보게 되는데, 이에 관하여 요한은 다음과 같이 말한다. 『**율법은 모세를 통하여 받았지만 은혜와 진리는** 예수 그리스**도를 통하여 온 것이라**』(요 1:17). 즉 구약과 신약 사이에는 구분이 있는 것이다. 구약과 신약은 서로 같지 않지만, 이 둘은 그것들 외에 "세 번째 것"을 필요로 한다.

이것을 이렇게 생각해 보자.

여기에 두 개의 언약(Testament)이 있다. 그런데 이 둘만 놓고 보면 어딘지 모르게 성경이 불완전해 보인다.

그래서 이 둘이 필요로 하는 세 번째 부분이 바로 예수 그리스도시다. 요한복음 1:1에 따르면 그분께서는 "말씀"이셨다. 요한계시록 19장에서는 그분의 이름이 『하나님**의** 말씀』(계 19:13)으로 불린다. 따라서 예수님께서는 "세 번째" 언약(Testament)이신 것이다. "이 세 개의 언약(Testament) 중에 오직 두 언약만이 책으로 기록되어 있다." 성경은 하늘에서 증거하시는 세 분이 계시니, 곧 『**아버지와 말씀과 성령이시**』(요일 5:7)라고 말씀한다. 그러니까 예수 그리스도께서 없으시면 성경은 불완전한 책이 되는 것이다. 참으로 놀랍지 않은가!

신정통주의자들은 성경을 희생시키면서까지 예수 그리스도를 강조하는 반면, 근본주의에 속한 성경대로 믿는 사람들 중에는 종종 예수 그리스도를 희생시키면서까지 성경을 강조하는 이들이 있다. 사실 성육신하신 "말씀"(Word)과 성육신하지 않은 "말씀"(word) 둘 다를 강조해야 한다. 이상의 내용들을 통해 세 개의 언약(Testament)이 있음을 알게 된다. 그중에서 두 언약만이 성경으로 기록되고, 세 번째 언약은 성경을 완성하시고 원래 계셔야 할 자리, 곧 "아버지, 아들, 성령"의 위치로 되돌아가셨다.

자 이렇게 셋은 삼위일체를 가리킨다. 셋이라는 숫자에 대해서는 전혀 논란의 여지가 없다. 이 숫자는 세 인격 안에 있는 신격 그 자체를 나타내는데, 이와 같은 세 개의 국면은 우주 도처에서 발견된다. 역사는 과거, 현재, 미래로 나뉜다. 모든 성경 구절은 역사적인 적용, 교리적인 적용, 영적인 적용, 이상 세 가지로 적용할 수 있다. 이러한 사례는 이외에도 얼마든지 찾아볼 수 있다.

한 번은 시간이 4차원으로 되어 있다고 주장하는 어떤 사람의 책을 읽어 본 적이 있다. 하지만 그 저자가 말하고자 했던 바는 또 하나의 다른 차원으로 들어가기 위해 시간을 거슬러 과거로 돌아가든지, 시간을 앞당겨 미래로 가든지 해야 하는 것은 아니었다. 다만 세 개의 차원이 결합되어 있는 "현실," 곧 바로 지금 우리가 현재 살고 있고 경험하는 그 현실이 네 번째 차원을 형성한다고 말할 뿐이다. 그러면서 그는 서로 다른 차원들 가운데 어떤 "한 가지 차원"을 제거한 다음, 그 차원들 중 어느 "한 가지"라도 없으면 사람은 의식을 잃고 죽게 된다는 사실과, 더 나아가 우주 전체가 무의식상태에 놓이게 되어 사라져 버린다는 사실을 보여 줌으로써 자신의 이론을 증명했다. 결정적으로 그는 "세 가지 차원이 없이는" 인간이 하나의 "선"조차 가질 수 없음을 입증해 보였다. "2차원적인" 선과 같은 것은 있을 수가 없는 것이다.

따라서 어떤 것이 완전해지기 위해서는 "셋"이 되어야만 한다. 바로 이러한 사실이 구원받지 않은 사람에게는 문젯거리가 된다. 왜냐하면 그의 한 부분, 곧 영이 죽어 있기 때문이다. 그는 일종의 "두 부분으로 구성된" 사람이다. 둘로 분리된 존재로서 내분 상태에 있는 것이다. 그래서 구원받지 않은 사람은 살아 있는 몸, 죽은 영, 살아 있는 혼으로 구성되어 있다. 그 사람 안에는 오직 두 부분만이 살아 있으니, 곧 그의 혼과 몸이다. 그런 식으로 분리된 채 살아가고 있다. 영이 살아나기 전까지 그는 완전해질 수 없다. 영이 살아나서 거듭나게 되면 온전한 삼중적인 존재가 되는 것이다.

자 이상 언급한 내용들은 기본적인 것들이다. 장과 절과 관련된 주제들에 대한 세부적인 논의는 시작조차 하지 않았다. 여하튼 지금까지는 성경을 읽는 사람 누구에게든지 명백하게 보이는 기본적이고 기초적인 사실들에 관해 언급했다.

만일 당신이 수학적인 문제나 사회적인 문제, 가족 문제, 교회적인 문제, 영적인 문제 또는 물리학이나 화학과 연관된 문제에 직면하여 여전히 해결책을 찾지 못하고 있다면, 잠시 내 말을 들어보라. 즉 세

가지 측면을 살펴보면, 해결책은 나오게 되어 있는 것이다. 한 가지나 두 가지 측면만으로는 답을 얻을 수 없다. 세 번째 측면을 찾지 못하면 어떤 문제도 해결되지 않는다. 헤겔은 이것에 대해 연구했다. 그는 이것을 "변증법"이라고 불렀는데, 곧 정(명제), 반(반명제), 합(종합), 세 가지 요소를 고려했던 것이다. 헤겔은 "A"로 시작했고, 그것을 "B"와 대조시켰다. 그리고 "C"를 취했는데, 이로써 그는 무언가 새로운 것을 얻게 되었다고 생각했다. 그렇게 해서 그는 나뭇잎의 구조와 동물의 생태에 관한 기본적인 것을 알 수 있었다. 그렇지만 창세기의 저자는 그의 할머니가 젖을 떼기도 훨씬 전에 헤겔이 취했던 방법을 이미 알고 있었다. 당신이 해결책을 찾지 못하는 것은 그 해답과 연관된 "세 가지 측면"을 찾지 못했기 때문이다. 이 방법은 자동차를 수리하거나 옷을 수선할 때에도 적용된다. 셋은 자연과 현실적인 기능을 제어하는 기본적이고 불변하는 수학적인 숫자이다. 하나님께서는 그렇게 그것을 정하셨고 확립하셨다. 그리고 그것은 영원히 지속될 것이다. 아멘! 이렇듯 셋을 기준으로 움직이게 되는 것이다.

어떤 사람이 로마서 10장의 말씀을 따라 올바르게 믿고 있다면, 그는 말 그대로 "주 예수 그리스도"를 믿고 있는 것이지, 소위 사람들이 입발림하듯이 말하는 "선하신 주님"이나 "나의 복되신 예수님" 또는 "그리스도" 정도로 불리는 신을 믿는 것이 아니다. 이상의 이름들로 불리는 모든 거짓 기독교 신들의 이름들이 난도질당했던 적이 있는가? 남부 여러 주에 살고 있는 "그리스도인들"이 "오, 주님이시여"라든지 "오 선하신 주여," "주여, 주여," "주님이여 나를..."과 같은 말들을 하는 것을 들은 적이 있는가? 이들 소위 "거룩한 자들"은 "나의 예수여," "복되신 예수여," "나의 사랑스런 예수여"라고 노래하기도 한다. 이런 노래가 흥미를 유발시킬지는 몰라도, 그런 노래를 주의하지 않으면 안 된다. 이들 현대주의자들이 "갈보리의 그리스도," 곧 "길이 되신 그리스도"에 관하여 말하는 것을 들어본 적이 있는가? 물론 이들의 말 속에는 그리스도 안에 계셨던 영이 수세기 후에 마틴 루터 킹을 도우셨다는 의미가 들어 있다. 바로 이런 말들을 경계해야 하는 것이다. 성경대로 믿는 그리스도인들이 믿고 있는 분은 "주 예수 그리스도"이시다. 이 단어에서 "주"는 "아버지 하나님"이시고, "예수"는 "아들 하나님"이시며, "그리스도"는 기름부음을 받았다는 의미로서 "성령님"이시다. 이로써 이 이름에는 삼위일체 하나님이 온전히 드러난다. 따라서 "셋은 신격을 보여 주고 계시해 주는 숫자"이다.

태양계 안에 있는 모든 빛과 열은 궁극적으로 태양으로부터 나온다. 이것은 태양의 도움 없이 빛을 발산하는 존재가 없다고 말하는 게 아니다. 햇빛이 사라지게 되면, 물속에 사는 인광을 내는 생물들이나 반디의 불빛이 사라질 것이라고 말하는 것이다. 왜냐하면 그들 모두는 죽어 버릴 것이기 때문이다. 물속의 화학원소들도 사라질 것이다. 달처럼 태양 빛을 반사해서 빛을 발산하는 행성은 죽은 행성이 된다. 이 지구로 들어오는 모든 광선들은 알파선, 감마선, 베타선인데, 이들은 각각 세 가지 유형을 나타내는 광선들로서 빛선

(아들 하나님), 열선(성령 하나님), 화학선(아버지 하나님)이다. 이것은 분명 신격을 나타낸다. 그래서 바울은 로마서 1장에서 그분, 곧 하나님의 보이지 않는 것들에 관해 다음과 같이 말한다. 『**세상의 창조 때부터 그분에 속한 보이지 않는 것들이 분명히 보여졌고 심지어는 그분의 영원한 능력과 신격까지도 만들어진 것들에 의해 알려졌으므로 그들이 변명하지 못하느니라**』(롬 1:20).

이처럼 셋이란 숫자가 가지고 있는 의미는 전혀 논쟁의 여지가 없이 분명하다.

4 넷(Four)

이제 "넷"에 대해 살펴보자. 넷은 셋에 비해 규정하기가 훨씬 힘든 숫자이다. 제일 처음 등장하는 곳은 창세기 2:10인데, 이 구절에서는 아주 오래전에 "네 원천"으로 갈라져서 흘렀던 강에 대해 말하고 있다. 그 다음으로는 창세기 14장에서 볼 수 있는데, 여기에서는 다섯 명의 왕들을 대적하여 싸우는 네 왕들이 등장한다.

넷이란 단어는 순서를 나타내는 "넷째"와 같은 부류로 묶을 수 있다. 이 단어는 열왕기상 22:41에 나오는데, 『**이스라엘의 아합왕 제사**[fourth]**년에**』라고 말씀한다. 출애굽기 29:40에서는 『**포도주 사분의 일 힌**』이 언급되고 있는데, 여기에서 "사분"(fourth part)은 희생제물에 들어가는 양의 크기를 말한다.

넷이 의미하는 바는 명확하지 않다. 나는 넷이란 숫자에 대해 학자들의 여러 가지 설명을 들은 적이 있다. "수비학"(numerology)에 관하여 손쉽게 구할 수 있는 대부분의 책들(클라렌스 라킨의 〈세대적 진리, 말씀보존학회, 1997〉 제33장 「성경의 숫자들」이나 벌링거의

〈Bible Numerics〉와 같은 기독교적인 수비학에 관한 서적들)에서는, 숫자 "넷"이 땅이나 세상과 연관되어 있다고 언급한다. 그런 면에서 넷은 "세상의 수"를 나타낸다. 물론 이것은 확실하지 않다. 성경은 넷에 대해 그다지 분명하게 설명하고 있지 않다.

이 땅에는 봄, 여름, 가을, 겨울, "사"계절이 있으므로 넷을 "세상의 수"라 부르기도 하는데, 이것을 성경에 나오는 계절과 비교해 보면 그렇게 결정적인 증거는 되지 못한다. 왜냐하면 성경에서는 "사"계절이 아니라 "여섯" 계절이 언급되기 때문이다. 창세기 8:22에서 "겨울"과 "여름," "씨 뿌리는 시기," "추수하는 시기," "추위," "여름"이 언급되는 것에 주목하라. 또한 성경에는 『**땅의 네 모퉁이**』(사 11:12)가 나온다. 이것은 나침반의 기본 방향에 대한 참된 표현으로서, 최근에 와서야 발견되었다. 사람들은 지구의 표면에 있는 가늘고 긴 네 개의 "요철"을 찾아냈다. 이 요철들은 산맥들이 아니고, 회전타원체의 모양이 완전히 갖추어지지 않은 네 장소들이다. 일종의 모서리가 있는 것이다. (내게는 그에 관한 사진들이 들어 있는 노트 한 권이 있다.) 나침반에는 동, 서, 남, 북, 네 방향을 가리키는 네 개의 모퉁이가 있다. 이러한 사실은 사계절과 더불어 "넷"이 "세상의 수"라는 사실을 암시해 주는 것 같다. 그럴지도 모르지만 확실하지는 않다. 또한 세상에서 중요한 기본 4대 원소는 불, 공기, 흙, 물이다. 이것으로 충분하다. 옛날 사람들은 이것만 있으면 충분했다. 그러나 화학 원소들까지 감안하면 훨씬 더 많은 원소들이 있음을 알게 된다. 정말이지 넷이라는 숫자를 규명하기란 참으로 쉽지 않다. 성경에서 그 분명한 의미를 찾아보려 해도 만족스런 답을 찾기가 어렵다.

출애굽기 22:1에 따르면 구약의 히브리인들은 양 한 마리를 훔쳤을 경우 그 한 마리에 대해 "네 마리"로 갚아야 했다. 그리고 성막의 모든 기구들의 경우 옮길 수 있도록 하기 위해 금고리 "네 개"를 부어 만들어 네 모퉁이 주변에 달아야 했다. 또한 흉배에는 이스라엘 자손을 상징하는 보석을 "네" 줄로(각 줄에 세 개씩) 박았다. 여기에서 "4×3"("열둘")은 분명 이스라엘 자손과 연관되어 있다. 그리고 우리는 셋이라는 숫자가 어떤 의미인지 알고 있는데, 곧 "삼위일체"와 관련되어 있다. 그렇다면 넷은 세상의 수일 가능성이 높다. 이는 이스라엘의 열두 지파가 땅의 유업과 지상의 왕국을 상속받기 위해 불러냄을 받은 사람들이기 때문이다. 이것은 분명한 사실이다. 하지만 넷의 의미와 관련해서는 결정적인 증거가 되지 못한다. 레위기 11장에는 네 발로 기어 다니는 동물들이 여러 번 등장한다.

성경의 처음 네 번째 장(창 4장)은 아벨이 카인에게 살해된 사건을 다룬다. 이 장에서는 무슨 중요한 의미를 발견하기가 쉽지 않다. 굳이 찾아본다면 『**네 아우의 핏소리가 땅에서부터 내게 부르짖느니라.**』(창 4:10)는 말씀에서, "땅에서부터"라고 말씀하는 것에 주목하라. 이것을 근거로 넷은 세상의 수라고 주장할 수 있을지 모르지만 만족할 만한 답변은 되지 못한다. 왜냐하면 "네 번째 장"이라고 해서 땅이 입을 벌려 피를 받는 내용들만 나오는 것은 아니기 때문이다. 다른 많은 사건들도 등장하는 것이다. 출애굽기 4장에서는 모세가 부르심을 받고, 요한복음 4장에서는 우물가에서 여인과의 대화가 등장한다. 이렇듯 넷이라는 숫자는 그 분명한 의미가 잘 드러나지 않는다. 어떤 사람은 "그렇게 성경의 '장'(chapter)을 표시하는 숫자를 연관시키는 일이 무슨 의미가 있습니까?"라고 질문할지 모른다. 그런데 성경에서 숫자들을 연구하다 보면, "장들"(chapters)을 표시하는 숫자들이 어떤 숫자들이 나타내는 정의와 관계가 있다는 사실을 더 많이 알게 된다. 장들뿐만이 아니다. 절들과 절들 "안에" 들어 있는 숫자들도 마찬가지다. 그런데 "넷"은 분명 그 의미를 포착하기가 쉽지 않다.

하나님의 말씀 가운데 유독 에스겔 1장에서 "넷"이란 숫자가 보다 빈번하게 나온다. 네 얼굴과 네 날개를 가진 네 생물의 모습, 이것저것 등을 지닌 넷의 모습에 관해 언급하면서 넷이란 숫자가 한 장에서만 열 번 가까이 등장하고 있다. 다른 장보다 에스겔 1장에서 넷이란 숫자가 더 많이 나오고 있는 것이다. 물론 여기에 나오는 생물은 그룹인데, 또다시 땅과 연관되어 등장한다. 본래 그룹은 다섯이었는데, 그 중 한 그룹이 타락하여 보좌 위에 있는 자신의 자리를 잃어버렸다. 결국 네 그룹만 남았는데, 이들 넷은 "지상의 생물들"을 대표한다.

❶ 네 그룹은 "사람"의 얼굴을 지녔다. 사람은 하나님의 창조물들 중에서 관이 씌워진 왕이다.

❷ "황소"의 얼굴을 지녔다. 황소는 이론의 여지가 없이 가축들의 왕이다. 그래서 흰 소는 신성한 동물로 여겨지기도 한다.

❸ "독수리"의 얼굴을 지녔다. 독수리가 날아다니는 동물들의 왕이라는 사실에는 의심의 여지가 없다.

❹ "사자"의 얼굴도 지녔다. 사자는 당연히 야생 동물들의 왕이다.

에스겔 1장에서는 네 짐승을 통해서 땅, 특히 "창조물"에 대해 언급하고 있다. 그러니까 넷이라는 숫자는 흔히 사람들이 생각하는 것과는 다르게 땅(세상) 그 자체보다는 창조물과 더 관련이 있는 것이다. 그러나 이것도 단정 지을 수 없는 것은 동물들의 임신 기간이 넷과 연관되어 있지 않기 때문이다. 특히 인간의 경우는 넷보다 아홉과 더 연관된다. 여전히 넷이라는 수는 신비로 남아 있다. 이 숫자가 의미하는 바가 정확히 무엇인지 주장하기 어렵다.

그리스도의 겉옷은 네 조각으로 나누어졌다. 물론 위로부터 통으로 짠 판초 모양의 속옷까지 감안하면 "다섯" 조각이 되는데, 병사들은 네 조각을 한 조각씩 나누어 가진 후에 이 다섯 번째 조각에 대해서는 제비를 뽑았다. 나는 솔직히 그리스도께서 입으셨던 겉옷의 "네 조각"이 무엇을 의미하는지 모르겠다. 에스겔 46장에 나오는 성전 뜰에는 "네" 모퉁이가 있다. 요한계시록 7:1에는 땅의 "네" 방향에서 부는 바람이 나오고, 6:1에는 "네" 짐승이 다시 등장한다. 번제단의 모양은 정사각형이고 새 예루살렘도 마찬가지이다. 그러나 이러한 것이 땅(세상)과 어떻게 연관되어 있는지는 잘 모르겠다.

다니엘 2장에는 다니엘의 "네 번째" 왕국에 대한 내용이 나온다. 이 네 번째 왕국은 로마 왕국으로서 철의 왕국이다. 다니엘 7장에 나오는 네 번째 짐승은 로마 왕국이 아니고 로마 왕국에서 기인될 적그리스도의 왕국이다. 다니엘 3:25에 나오는 네 번째 존재는 하나님의 아들과 같은 모습이다. 재림의 유형을 보여 주고 있는 마태복음 14:25과 마가복음 6:48에서, 예수님께서 밤 "제사"경에 바다 위를 걸어서 오신 사건은 어떤 중요한 의미를 지니고 있음에 틀림없다. 하지만 이것이 세상과 무슨 연관이 있는지는 모르겠다. 어떤 사람은 이 사건이 예수님께서 이 땅에 오시는 것을 예표하기 때문에 세상과 연관되어 있다고 말할는지 모르지만, 그것은 다소 비약된 부분이 없지 않다.

유월절 양은 그 달 십사일에 잡는다. 여기에서 "십사"는 "열"과 "넷"을 합한 숫자이다. 나중에 살펴보겠지만 "열"이란 숫자는 의심의 여지없이 "이방인"과 연관되어 있다. 유월절을 지키는 것과 관련하여 이방인과 넷이라는 숫자의 의미를 어떻게 연결시킬 수 있을지 잘 모르겠다. 그 의미를 발견하기가 쉽지 않다. 그래서 성경에서 넷이라는 숫자는 여전히 신비이다. 나는 아직 그 의미를 완전히 알지 못한다. 그 의미를 찾았다고 주장하는 사람들의 논문을 보면 어딘가 부족하고 무언가 빠져 있음을 알게 된다. 그들이 미처 발견하지 못한 허점들이 있는 것이다. 그것이 무엇이라고 정확하게 말할 수는 없지만 그들이 제시한 증거들이 확실하다고 할 수도 없다.

5 다섯(Five)

숫자 "다섯"은 그 의미를 찾아내기가 쉽고 그에 대한 증거들도 매우 확실하다. 그런데 성경에서 "열셋"을 제외한 그 어떤 숫자보다 의미가 명확하게 나타나는 숫자가 다섯이지만, 이상하게도 수비학이나 성경의 숫자들을 다룬 책들 중에 이 의미를 제대로 규명해 놓은 책은 없다.

성경학자들과 기독교 학자들 그리고 구원받지 못한 학자들은 한결같이 다섯의 의미를 "은혜"로 해석한다. 이처럼 다섯이란 숫자를 둘러싸고 일어나는 이 특이한 혼란은, 찰스 웨슬리가 쓴 찬송가 가사에서도 볼 수 있듯이, 그리스도의 죽으심이 그분의 몸에 난 다섯 군데의 상처와 그분의 옷이 다섯 조각으로 나누어졌다는 것(병사들이 한 조각씩 나누어 가진 겉옷 네 조각과 제비를 뽑은 하나의 온전한 속옷)과 연관되어 있다는 사실에서 기인한다. 여기에서 "다섯"은 그리스도의 죽음과 연관해서 등장한다. 물론 "은혜"에 해당하는 영어 "grace"는 다섯 개의 철자로 이루어져 있다. "죽음"(death)도 마찬가지이다. 이런 이유로 사람들은 다섯이 "은혜의 숫자"라고 여기는 것이다. 그러나

이 숫자는 지상에서 죽게 되는 "수십억 명의 죽음 가운데 단 한 분의 죽음"에서만 은혜를 나타낼 뿐이다. 이 한 번을 제외하면 다섯이라는 숫자는 항상 은혜가 없는 죽음과 연관되어 있다. 사실 그리스도의 죽음이 다섯과 연관될 수 있는 유일한 이유도 그것은 "죽음" 때문이었지 "은혜"때문은 아니었다. "은혜의 죽음"이 다섯과 연관되어 일어난 이 한 번의 사례 때문에 이 숫자가 가지고 있는 본래의 의미를 바꾸어 버리는 것은 터무니없는 짓이다. 지금까지 이 지구상에서 수많은 사람들이 죽었듯이, 그리스도의 죽음은 한 인간의 죽음이었다. 게다가 그분께서는 한 인간으로서 죽으시고 한 인간으로서 다음과 같이 부르짖으셨던 "인자"이셨다. 『**나의 하나님, 나의 하나님, 어찌하여 나를 버리셨나이까?**』(마 27:46) 그리고 부활하신 구주로서 다음과 같이 말씀하셨다. 『**나는 살아 있는 자며, 죽은 자였으나, 보라, 영원무궁토록 살아 있노라**』(계 1:18). 또한 히브리서의 저자는 『**모든 사람을 위하여 죽음을 맛보기 위함이더라.**』(히 2:9)라고 말했다. 그분의 죽음에 대해서는 의심의 여지가 없으며, 이것이 바로 다섯이란 숫자의 올바른 의미이다. "주님의 죽음과 관련된 이 예외적인 경우"에서 죄인들을 향한 하나님의 은혜가 나타났다 할지라도, 그것이 다섯이란 숫자의 의미에 영향을 주지는 못한다. 다섯은 항상 죽음을 의미한다. 성경에서 그에 관한 분명한 증거들을 풍성하게 발견할 수 있다.

자 성경학자들이 간과한 이 숫자와 연관된 몇 가지 현상들이 있는데, 예를 들면 다음과 같다. "메이데이"(May-Day)는 비행기 사고가 났을 때 알리는 조난 신호이다. 하필 5월을 의미하는 "메이"(May)를 선택한 데는 여러 가지 이유가 있겠지만, "메이"는 "다섯 번째" 달이다. 어떤 사람은 "우연한 일치 같은데요."라고 말할지 모른다. 그러면 위급 상황을 알리는 SOS(긴급 조난 신호)의 주파수가 500킬로사이클인 것도 우연이라고 생각하는가? 미국 해군에서 고장으로 배가 물속에 침몰할 때 사용하는 명칭이 "제5고장"인 것은 어떻게 설명하겠는가? 구약에서 동물들을 희생제물로 바쳤던 놋제단의 크기가 "5×5"큐빗이란 사실(출 27:1)을 알고 있었는가? 그런데 사람들은 이 사실을 근거로 다섯을 "은혜"와 관련시키려 한다. 왜냐하면 그들이 생각하기에 그리스도를 예표하는 어린양이 그 위에서 죽었기 때문이라는 것이다. 그러나 어린양 자체는 은혜의 예표였을지 모르나 분명 제단은 아니었다. 오히려 크기가 "5×5"큐빗인 "제단은 지옥을 예표"한다. 이것이 전부가 아니다.

최초의 인간은 창세기 5장에서 죽는다. 이에 대해 〈킹제임스성경〉의 번역자들이 계획적으로 그렇게 의도한 것이라고 말하지 말라. 그들은 그 숫자의 의미가 무엇인지 알 수 없었다. 이는 "오늘날" 최고의 성경학자라는 사람들도 그 의미를 몰랐기 때문이다. 백문이 불여일견이라 했으니, 에릭 사우어, 벌링거, 라킨, 핑크, 스탬이 저술한 소위 "최고의" 성경 관련 책들을 살펴보라. 이들은 이 숫자의 의미를 정확하게 제시하지 못하고 있다. 〈킹제임스성경〉의 번역자들이 그런 내용을 왜 하필 창세기 5장, 그것도 5절에다 집어넣었겠는가? “글쎄요, 그렇다면 아담보다 아벨이 먼저 죽었다는 것은 어떻게 설명할 겁니까?”라고 반문하는 사람이 있을지 모른다. 그러나 아벨은 죽은(died) 것이 아니라, “살해당했다!”(was killed) 성경에 따르면 이 지구상에서 자연사로 죽은(died) 죽음이 최초로 기록된 곳은 “다섯 번째” 장의 “다섯 번째” 절에서이다. 이에 대해 “그런데 장과 절은 나중에 첨가된 것이지요.”라고 말하는 사람이 있을 것이다. 그건 사실이다. 그러나 놀라운 점은 장과 절을 누가 첨가했든지 간에, 정말이지 제대로 붙여 놓았다는 사실이다!

이에 관한 증거는 더 있다. 사도행전 5:5에서 죽는 사람이 나온다는 사실을 알고 있었는가? 로마서 5장 전체가 아담과 그리스도의 죽음을 다루는 “죽음의 장”이라는 사실도 알았는가? 죽임당한 아벨을 대신하여 정해진 씨(창 4:25)의 이름은 “셋”이었는데, 창세기 5:6에서 그에 관하여 일백“오”(five) 년을 살고 에노스를 낳았다고 말씀하는 것을 유념해 본 적이 있는가? 왜냐하면 서수 “다섯 번째”(fifth)가 아닌 기수 “다섯”(five)으로 보면, 바로 여기에서 “다섯”이란 숫자가 처음으로 언급되기 때문이다. 그런 그가 창세기 5:8에서 “죽는다.” 창세기 43:34과 45:22에서 베냐민이 그의 형제들보다 다섯 배 많은 몫을 받았다는 사실을 주목해 보았는가? 그 이유가 무엇인가? 은혜 때문인가? 절대 그렇지 않다. 이는 “그의 어머니가 그를 낳다가 죽었기” 때문이다.

“다섯째” 날이 되서야 비로소 생명은 이 지상에 등장한다. 이는 그리스도께서 4,000년이 지난 뒤에야 죽으시기 때문이다. 성경에서 첫 번째 생명은 창세기 1장에서 "다섯째" 날에 나타난다. 왜냐하면 『**주께는 하루가 천 년 같고 천 년이 하루 같**』기 때문이다(벧후 3:8). 그리스도께서는 4,000년이 흐르고 난 뒤에 이 땅에 오셨다(초림). 따라서 생명이 나오려면 4일이 지나가야 한다. 『**그 아들이 있는 자는 생명이 있고 하나님의 아들이 없는 자는 생명이 없느니라**』(요일 5:12). 『**한 알의 밀이 땅에 떨어져 죽지 아니하면**』(요 12:24). 이처럼 "다섯은 죽음의 숫자"이다.

우리는 다섯("죽음")을 결코 피할 수 없다. 이 땅에 살고 있는 평범한 사람 누구에게나 양손에 손가락이 각각 다섯 개씩 있는데, 사람들은 세상에 등장한 이래로 그 손으로 서로를 죽여 왔다. 살인자 바라바는 십자가 형벌을 모면했고, 생명의 통치자께서는 그의 자리를 대신하셨다. 그리고 사람들은 그분께 못을 박았다. 그리스도께서 십자가에 달리셨을 때 몇 군데에 상처를 입으셨는지 알고 있는가? 양손과 양발 그리고 옆구리, 이상 "다섯" 군데였다. 이렇듯 다섯은 죽음의 숫자이다! 결코 "은혜가 아니다." 지금까지 단 한 번도 은혜였던 적이 없고 앞으로도 그러할 것이다.

사무엘하에서 죽임을 당했던 사람들은 모두 "다섯 번째" 갈비뼈 아래를 찔렸다는 사실을 주목해 본 적이 있는가? "네 번째"가 "넷"과 같은 부류로 취급되듯이, "다섯 번째" 역시 "다섯"과 동일한 부류이다.

사무엘하 2:23; 3:27; 4:6; 20:10의 내용을 읽어 보라. 이 말씀들에서 사람들이 살해될 때 "다섯 번째" 갈비뼈를 찔렸다는 내용이 네 번 나온다. 이 갈비뼈는 이브가 아담으로부터 나온 바로 그 위치였다. 아담에게 이브는 죽음을 의미했다. 아담이 그녀를 위해 "죽지" 않았는가! 이에 관한 내용이 디모데후서 2장과 에베소서 5장에서 언급된다. 이처럼 다섯은 죽음의 숫자이다. 죽음을 상징하는 것이다.

사무엘하 21:8,9에서 다윗이 기브온인들의 손에 넘겨주어 목매달아 죽게 한 미갈의 아들들의 숫자가 "다섯"이라는 사실에 대해 읽어 본 적이 있는가? 사무엘상 6장에서는 재앙이 필리스티아인들을 강타하여 그들이 파리처럼 죽어가고 있었을 때, 그들은 "다섯 개"의 금 종기와 "다섯 개"의 금 쥐를 가지고 죄들을 속죄하기 위한 제물로 삼았다. 이스라엘 자손을 대적해서 싸우기 위해 도처에서 몰려든 필리스티아 군주들의 수는 다섯이었다. 여호수아가 추격하여 발로 밟고 살해한 왕들의 수도 다섯이었다. 이처럼 다섯은 죽음을 상징한다. "죽음의 숫자"인 것이다.

마태복음 14:17에서는 그리스도께서 빵 다섯 덩어리로 무리들을 먹이셨다! 그런데 이후 30분도 채 안 되어서 예수님께서는 그것은 생명의 빵이 아니었다고 말씀하셨다. 그래서 그들은 그 빵을 먹었음에도 "죽었던" 것이다. 역시 다섯은 죽음의 숫자이다.

고린도후서 11:24에서 바울은 유대인들에게 다섯 번이나 호되게 맞았다. 또한 그는 자신의 몸에 그리스도의 표들을 지녔다고 말했다(갈 6:17). 다섯이란 숫자의 의미는 너무나 자명하다. 즉 죽음을 상징하는 것이다.

만일 이 세상에 있는 숫자들에 관한 모든 서적들에서 다섯이 "은혜"

를 상징한다고 언급했다면, 그것은 1억 5,500만 번의 사례들 가운데 한 번 정도에 해당하는 예외를 가지고 그렇게 말했을 뿐이다. "다섯은 분명 죽음을 의미하는 숫자"이다.

사람은 죽는다. 죽음에 예속되어 있는 것이다. 죽을 수밖에 없는 인간에게는 양발에 각각 다섯 개의 발가락이 있고 양손에도 손가락이 각각 다섯 개씩 있다. 사람은 죽는다. 반드시 죽는다! 다니엘 2장에서는 그리스도께서 재림하시기 직전에 이 지상에 세워질 이방 세계 최후의 왕국이 사람처럼 양쪽에 각각 "다섯 개의 발가락"이 있는 발로 묘사된다. 그리고 세게 내리치는 돌이 그 형상 위에 떨어져 산산이 부술 때, 즉 그 치는 돌이 UN의 2억의 군대 위로 떨어져서 그 피가 말고삐까지 차게 될 무렵에, 다섯 개의 발가락으로 구성된 오른쪽 발은 한 쪽 편을, 다섯 개의 발가락으로 구성된 왼쪽 발은 다른 한 쪽 편을 밟게 될 것이라고 성경은 말씀한다(계 10:2). 이렇듯 다섯은 죽음의 숫자이다. 그것도 이방인들의 죽음이다. 열은 이방인의 숫자이다. "다섯"에 대한 설명은 이 정도면 충분하다. 이제 "여섯"으로 넘어가도록 하자.

6 여섯(Six)

주님께서 방주를 만드는 것에 관하여 노아와 말씀하기 시작하셨을 때, 그의 나이 오백 세였다. 그는 셈과 함과 야벳을 낳았다. 노아가 방주에 들어간 것은 육백 세 때였는데, 이 숫자는 우리에게 "여섯"을 환기시켜 준다. 물론 노아는 주의 눈에서 은혜를 찾았다. 어떤 사람은 이것이 오백 세 때였다는 사실에 집착한 나머지 "다섯이 은혜를 나타내는 숫자"라고 말할지도 모른다. 그러나 우리는 당시의 현실을 직시할 필요가 있다. 노아는 자신에게 나타난 어떤 은혜를 발견했을지 모르지만, 베드로후서 2장과 히브리서 11장에 따르면 세상은 그를 통해 정죄를 받았다. 그러니까 "노아는 세상 사람들에게는 죽음을 의미"했던 것이다. 그리고 방주 안으로 들어가고 홍수가 일어난 사건과 연관된 숫자는 육백이었다. 이것은 "여섯"이란 숫자를 환기시켜 준다.

그런데 숫자 여섯에는 그와 연관된 몇 가지 문제들이 있다. 보통은 여섯이 "사람의 숫자"로 알려져 있다. 여기에는 나도 전적으로 동의한다. 여섯은 분명 사람과 연관되는 숫자이다. 그러나 이 숫자의 의미가 반드시 "사람에게만" 한정되는 것인지에 대해서는 생각해 볼 필요가 있다. 그리고 사람이라고 말할 때, 일반적인 사람들에게 적용해야 할 것인지, 아니면 적그리스도에게 또는 사람과 관계된 마귀나 마귀들에게 적용할지도 고려해 보아야 한다. 사실 여섯이라는 숫자가 처음으로 등장하는 구절은 홍수가 시작될 무렵, 곧 노아의 나이가 "육백" 세였음을 설명하는 창세기 7:6이다.

물론 "여섯"과 같은 부류로 생각해 볼 수 있는 "여섯째"란 단어가 창세기 1:31에서 재창조의 "여섯째 날"을 설명하면서 처음으로 등장한다. 이 "여섯째 날"은 아담이 지음 받은 날인데, 이 증거 하나만 보더라도 여섯이 사람과 관련이 있다는 사실은 도저히 부인할 수 없다. 아담은 여섯째 날에 지음 받았다. 여섯은 분명 사람과 연관되어 있다. 이 숫자는 창세기에서 여러 번 등장하는데, 이중 가장 주목되는 경우가 노아의 나이를 말할 때 나왔던 숫자 "육백"이다.

그 이후로 무슨 이유에서인지 성경에는 "육백" 명이라는 표현이 자주 등장한다. 이에 대해 학자들은 "그것은 대략적인 숫자일 뿐"이라고 얼버무린다. 즉 성경의 숫자에는 아무런 의미가 없다는 것이다. 물론 이런 자들의 주장은 일고의 가치도 없다. 왜냐하면 성경에 나오는 그 어떤 단어라도 일정한 의미를 지니고 있기 때문이다. 결코 대략적인 수치라는 말로 넘길 문제가 아니다.

성경에서 "육백"이라는 숫자는 자주 사용된다. 창세기 46:26에서는 야곱과 함께 이집트로 내려간 사람들의 숫자를 언급하면서 여섯이라는 숫자를 등장시킨다. 『**모든 혼들은 육십육 명이더라.**』 파라오가 이스라엘 자손을 뒤쫓을 때 선별했던 병거들의 수는 육백 대였고, 이 육백 대의 병거가 이스라엘 자손들의 눈 앞에 갑자기 등장했다. 사무엘상 30:9과 사무엘하 15:18 그리고 그 외 몇몇 구절들에서도 육백이란 숫자가 등장한다. 재판관기 18장에서는 "육백 명"의 사람들이 세 번 언급되고 있다. 재판관기 20:47에서도 "육백 명"이 나온다. 이렇게 "육백 명"이란 표현이 여러 번 등장하는 이유는 잘 모르겠지만, 아무튼 여기에는 무언가 의미심장한 뜻이 담겨 있을 것이다. 사무엘상 23:13과 27:2 그리고 30:9도 확인해 보라. 나는 육백이란 숫자를 자세히 공부해 보지는 않았지만 이 수에는 무언가가 있는 것이 분명하다. 성경에서 아무런 이유 없이 단순히 제시되는 숫자는 없다. 고심한 끝에 내린 결론이 그저 "대략적인 수치"라고 한다면, 그것은 별로 웃기지도 않는 농담일 뿐이다.

요한복음 21:11에서 주님께서는 그물로 끌어올린 물고기의 숫자를 매우 구체적으로 알려 주신다. 바울이 탄 배가 파선당했을 때 그 안에 타고 있다가 구조된 사람의 숫자가 몇 명이었는지도 아주 자세하게 말씀하신다. 이처럼 성경에서 구체적으로 밝히고 있는 내용을 그저 "보편적"이라든지 "대략적인"이라는 말 따위로 얼버무릴 순 없다. 성경에서 숫자가 제시될 때 그 이면에는 반드시 어떤 목적이 들어 있다. 그 의미를 찾기 어렵다고 해서 무시하는 태도는 옳지 않다.

물론 나는 성경을 모두 다 알고 있다고 말한 적이 없다. 지금 다시 한 번 말하지만, 나는 성경을 다 알지 못한다. 성마른 사람들은 내 책을 훑어보고는 이렇게 불평하곤 한다. "음, 럭크만 형제는 자기만 옳고 다른 사람은 다 틀리다고 생각하는군." 대개는 이런 불평이 자존심이 너무 강하여 자기 생각만 붙든 채 남이 하는 말에 대해서는 전혀 숙고하고 고려할 여지를 보이지 않는 사람들에게서 나온다. 또는 몹시 게으른 사람들에게서 이런 모습은 흔히 발견된다. 사실 나는 지금까지 사역해 오면서, 웬만해서는 찾아보기 힘들 정도로 독단적이거나 참을성이 없거나 편협한 마음을 가졌거나 천하의 고집불통이거나 또는 상당히 자기중심적인 사람들을 어떻게 다루어야 하는지 그 방법을 터득했다. 성경공부에 부지런한 사람이라면 누구나 자신이 배워온 것 가운데 상당 부분이 틀렸고 "럭크만 형제"가 옳았다는 사실을 얼마 안 가서 깨닫게 될 것이다. 정말 인내를 가지고 시간을 내서 공부해 본 사람이면 누구나 내가 "나는 잘 알지 못하겠노라."라고 고백한 부분을 수백 번 이상 발견할 수 있을 것이다. "럭크만 형제는 자기만 옳고 다른 사람은 모두 틀린 줄 안다니까요."라고 말하는 사람은 십중팔구 고집불통에 참을성이 전혀 없으며 편협한 마음을 가진 자들 가운데 하나임이 틀림없다. 성경에는 내가 모르는 부분이 허다하다. 그 말씀이 어디에 있는지는 찾을 수 있어도 하나님께서 그 뜻을 알려 주시지 않아 아직도 잘 모르고 있는 구절이 매우 많다. 나는 아직 그런 구절들을 해석하지 못했다. 해석은 성령께서 주시는 것인데, 아직은 그분께서 그에 대한 해석들을 보여 주시지 않았으므로, 내게는 그에 대한 해답이 없는 것이다. 다른 사람 역시 그 해답을 갖고 있지 않다면, 그것 정도는 알아챌 수 있다. 이는 비평을 하는 데 매우 유익하다. 자기 자신을 냉정하게 바라볼 수만 있다면 다른 사람들에게 속는 일은 거의 없다. 나는 육백이라는 표현이 이렇게 자주 등장하는 이유를 모르겠다. 그러나 거기에 분명히 어떤 목적이 있으리라고 확신한다.

재창조의 육 일은 안식일의 안식과 일곱째 날을 주의하라는 유대인을 향한 경고와 관련하여 성경에서 거듭 발견된다. 주께서는 출애굽기 16:26; 20:11; 21:2; 23:10,12에서 "육 일"을 계속해서 반복하신다. 출애굽기 24:16에서는 구름이 성막을 "육" 일 동안 덮고 있었다. 성막 안에 있는 금촛대에는 일곱 개의 불이 켜지는데, 가지는 여섯 개만 있고 일곱 번째 가지는 중앙 부분의 촛대 그 자체였다. 출애굽기 28:10에서는 이스라엘 자손의 이름을 출생 순위에 따라 한 보석에 "여섯" 이름을, 다른 보석에 나머지 "여섯" 이름을 새긴다. 유대인들은 약속의 땅에 도달했을 때, "여섯" 지파는 한쪽 산을 향해 서고 나머지 "여섯" 지파는 다른 쪽 산을 향해 선 상태에서 율법의 저주들을 낭독하라는 명령을 받는다. 하지만 지파가 나누어질 때에는 결코 여섯과 여섯으로 구분되지 않고, 항상 열과 둘로 나뉘게 된다. 이에 관해서는 숫자 "열"에 대해 공부할 때 다룰 것이다. 민수기에서 과거 여호수아와 갈렙이 앞장서서 백성들을 인도하려 했을 때에도, 무슨 이유인지, 이스라엘은 열과 둘로 나뉘었다.

여리코는 백성들이 육 일 동안 돌고 난 후, 일곱째 날에 무너졌다. 사무엘하 21:20에는 양쪽에 각각 "여섯 개"의 손가락과 "여섯 개"의 발가락을 지닌 거인들이 등장한다. 이는 그 거인들이 초인적인 능력을 지닌 존재들이었음을 보여 준다. 적그리스도의 예표로서의 솔로몬을 보면 그의 보좌에는 "여섯 개"의 계단이 있었다. 그리고 계단 이편과 저편에는 각각 "여섯 마리"의 사자들이 있었는데, 계단의 숫자와 양편에 있는 사자들의 숫자를 종합해 보면 "666"이란 숫자가 만들어진다. 이러한 사실은 적그리스도가 장차 "초인"(Super-man)이자 "신인"(God-man), "삼위일체"(Trinity), 곧 "666"이 되는 것처럼, 여섯이 사람과 연관되어 있다는 주장을 뒷받침해 준다. 물론 유일한 문제 하나가 있다면, 그것은 적그리스도가 잘못된 신이라는 점이다. 참된 "하나님-사람"(신인, God-man)을 찾고 싶다면, "777"에 관해 살펴보아야 할 것이다. 물론 이것은 물리학이나 수학의 영역을 훨씬 벗어난다. 이것은 심지어 초감각적 지각, 환각제, 히피, 구루와도 전혀 상관이 없다. 우리가 찾고 있는 것은 "777"이다. 일곱은 완성인데, 그 숫자가 세 번 있는 것이다. 이것이 바로 "완성의 삼위일체"이며, 우리가 찾고 있는 바로 그분이다.

분명 "666"은 불완전한 숫자이며 "여섯"의 삼중성이다. 여섯이 "사람"이라면, 그것은 "기껏해야" 사람인데, 타락한 사람인 것이다. 이것은 요한계시록 13:18에서 유념하라고 말했던 바로 그 숫자이다. 그런데 이 구절을 표시해 주는 "18"이란 숫자가 그 자체로 "여섯을 세 번 합한" 숫자인데도, 어찌된 일인지 신보수주의자들은 이 사실을 전혀 눈치채지 못한다. (〈킹제임스성경〉의 번역자들은 이런 장과 절을 표시하고 있는 숫자에 무슨 의미가 있을 것이라고는 생각조차 하지 못했다. 다만 결과가 그런 식으로 드러났을 뿐이다. 이것을 두고 "우연의 일치이겠거니"라고 말하는 사람이 있을 것이다. 나 역시 오랫동안 그렇게 생각해 왔지만, 그런 사례가 약 85%에 육박하다는 사실을 알았을 때 생각을 바꾸는 게 낫다고 결심했다.)

우리가 하나님의 말씀으로부터 이러한 사실들을 제시할 때, "어떤 숫자의 유형을 가지고 그렇게 설명할 수는 있어요, 그런데 그것이 무슨 대수는 아니죠."라고 말하는 사람이 있다는 것은 매우 놀라운 일이다. 확률이나 숫자를 근거로 내기하는 어떤 사람도, 그리고 직업적으로 숫자들을 다루는 어떤 전문가도 그런 식의 태도를 보이지 않는다. 이 사실을 진지하게 받아들이지 않는 사람들로는 〈킹제임스성경〉에 대해 분개하는 보수주의 성경학자들이 유일하다.

13장에서, 그것도 세 개의 여섯으로 나뉠 수 있는 "18"이라는 숫자가 표시된 그 구절에서 "666"이라는 숫자가 등장하고 있다면 이것을 어떻게 설명할 것인가? 어떤 이는 이것을 두고 "우연의 일치"라고 말했다. 당신은 어떻게 생각하는가? 한 번 말해 보라. 그렇다면 에스라 2:13에서 그 숫자가 다시 등장하는 것에 대해서는 어떻게 생각하는가? 에스라 2장, 그것도 "열세 번째" 구절에서 "666"이 언급되고 있다. 역대기하 9:13에서도 다시 한 번 "666"이 나타나는데 그 이유가 무엇인지 설명해 줄 수 있겠는가? 어째서 이 "666"이란 숫자는 항상 "13"과 더불어 등장한단 말인가! 어떤 이는 "그런데 열왕기상 10장에도 나오는데요."라고 말하기도 한다. 하지만 그것은 네 번 가운데 하나일 뿐이다. 31,000개의 구절 중에서 3대 1의 가능성이 어떤 의미가 있다고 생각하는가? 3대 1의 가능성에 돈을 거는 도박사들은 거의 없다.

자 열왕기상 10:14에서 "666"이 등장한다. 그리고 이것은 여전히 동일한 사람, 동일한 대상, 동일한 무게와 연관되어 있다. 게다가 역대기하 9:13에서 언급된 품목과 동일하다. 또한 여기에서 등장하는 금이나 바빌론 왕 느부캇넷살의 사자와 같은 머리를 지닌 금 형상을, 요한계시록 13장에 나오는 짐승, 곧 사자와 같은 입을 가지고 있고 모든 금을 관장하며 그 숫자가 "666"인 짐승과 어떻게 분리해서 생각할 수 있겠는가! 더욱이 그 "666"이란 숫자는 세 개의 여섯으로 나뉠 수 있는 숫자, 곧 18절에 등장하고 있다. 또한 "반역의 주"란 의미를 가지고 있는 이름, 곧 "아도니캄"이라 불리는 사람이 에스라 2:13에서 발견된다. 이렇게 되면 가능성은 3대 1이 아니다. "숫자"만 놓고 보면 3대 1이지만, 지금 우리는 숫자만이 아니라 "금"과 "사자들," "왕들," "반역" 그리고 "세계 독재 국가" 등의 내용들을 다루고 있다는 사실을 기억해야 한다. 그렇게 되면 가능성이 어떻게 되는가? 가능성이 너무 적어져서 도박사들은 더 이상 내기를 하지 않을 것이다. 그런 내기를 하는 사람이 있다면, 〈킹제임스성경〉을 싫어하는 개신교도나 카톨릭교도 또는 유대인들이 유일할 것이다.

예수님께서 갈보리 십자가에서 죽으실 때는 어두움이 덮어오는 "제육"시경이었다(눅 23:44). 게다가 그 어두움은 정오로부터 오후 세 시경까지 지속되었는데, 그날은 분명 제육시를 분기점으로 나뉘고 있었다. 그렇게 보면 "여섯"은 분명히 시간을 나누는 것과 다소 연관이 있다. 1년은 "6"개월 단위로 반이 나뉘고, 하루는 "여섯" 시를 기점으로 반이 나뉜다. 성경에서 분리가 언급될 때마다 셋과 여섯의 조합이 얼마나 많이 사용되는지 알게 되면 깜짝 놀랄 것이다. 일례로 삼 년 육 개월과 사흘 반이 그렇다. 성경에서 이런 표현은 예수 그리스도의 부활과 적그리스도의 통치와 연관하여 반복해서 등장한다. 마흔두 달이라는 기간은 삼 년 "육" 개월에 해당한다. 요한계시록 11장에 나오는 1,260일이라는 기간 역시 삼 년 "육" 개월이다. 성경에서는 이런 식의 구분이 거듭거듭 등장한다. 이에 대해 다니엘은 『**한 때와 두 때와 반 때**』(단 7:25)로 표현한다.

이렇게 해서 우리는 "여섯"이란 용어가 사람과 연관되어 있을 뿐만 아니라 사람과 관련해서 시간을 구분하는 것과도 연관되어 있음을 알게 된다. 말하자면 사람의 날들은 "계수되어" 있는 것이다. 그 모든 사실들이 무엇을 의미하는지 정확히는 모른다. 그러나 적그리스도가 숫자가 "666"인 "초인"이라는 사실은 알고 있다. 또한 레위기 25:21에서는 하나님께서 여섯째 해에 유대인들에게 그분의 복을 명하시어 그들이 일곱째 해에 쉴 수 있도록 하셨다. 또한 여섯 큐빗이 요한계시록에서는 사람과 다소 관련이 있다고 말씀한다.

성경을 반복해서 읽으면 읽을수록 엿새가 현 시대의 기간과 연관이 있음을 알게 된다. 그리스도께서는 엿새 후가 되어서야 비로소 영광 중에 나타나신다(마 17:1, 막 9:2). 안식일은 분명히 예수 그리스도의 천년 통치의 유형이다. 따라서 내가 살고 있는 "이 시대"는 특히 "여섯"이란 숫자로 나타낼 수 있다. 이 숫자는 이 시대의 특징임에 틀림이 없다. 만일 내가 1,000년 전에 살았다면, 그 시대를 특징짓는 숫자는 "다섯"이었을 것이다. 그리스도께서 오시기 첫 1,000년 전에 살았다면, 나의 시대는 숫자 "넷"이었을 것이다. 또한 솔로몬의 통치 이전에 살았다면, 숫자는 "셋"이 되었을 것이다. 솔로몬 이전 시대는 셋으로 나타낼 수 있기 때문이다. 숫자들의 수학적이고 절대적이며 무오한 정확성을 결코 피할 수는 없다. 그리스도께서 재림하시기 전 이 시대를 특징짓게 될 숫자는 다름 아닌 여섯이다. 이에 대해 어떤 사람은 "확실한가요?"라고 반문할지 모른다. 이에 대한 나의 답변은 "그럼요, 확실합니다!"이다. "정말인가요?" 틀림없다! "그러면 다른 모든 사람이 틀렸다는 말인가요?" 정말로 그렇다! 그러면 당신은 "너무 자만해 하는 것 같은데요."라고 말할지도 모른다. 결코 그렇지는 않다. 다만 당신이 평생 동안 그런 진리를 들어본 적이 없을 뿐이다. 분명 "여섯은 이 시대의 특징을 나타내는 숫자"이다! (이쯤에서 좀 더 도움을 얻고 싶다면 "X"로 끝나는 단어들을 찾아보는 편이 좋겠다.)

자 이렇게 "여섯"이란 숫자가 있다. 이 숫자는 분명 "사람"과 다소 관련이 있다. 비록 내가 그 숫자에 대한 모든 것을 깨닫지 못했을지라도 말이다. 초인과도 다소 연관되어 있고 우리가 현재 살고 있는 인간의 날이나 시대와도 어느 정도 관련되어 있다. 결국 이 시대는 완벽한 완성수인 "일곱"으로 마감될 것이다. 나는 "777"이란 숫자가 돌아오길 기다리고 있다. 반면 당신은 낡고 오래된 "666"과 대면할 수도 있다. 그러나 나는 그를 원하지 않는다. 나는 그가 싫다. 그는 너무도 전자 장비와 관련되어 있다. ("철인"에 대해서도 그다지 좋아하지 않는데, 그런 부분에 대해 여기에서 다루지는 않을 것이다!)

7 일곱(Seven)

이제 "일곱"에 대해 살펴보자. 이 숫자에 대해서는 생각을 많이 할 필요도, 상당량의 조사나 연구를 거칠 이유도, 또 심사숙고할 까닭도 없다. 그만큼 "일곱"이 "완성"의 수라는 사실은 너무나 분명하기 때문에 무슨 타당한 근거를 애써 제시할 필요도 없는 것이다.

하나님의 말씀을 거스르는 죽은 학자들이나 죽은 정통주의자들은 학문 자체에 미쳐 있는 자들이기에, 모든 숫자를 "대략적인 어림수"나 "완전수" 정도로 간주하는 어리석음을 드러낸다. 그러지 않기를 바라지만 만일 당신이 죽은 정통주의 학자들이 성경에 관해 쓴 잡다한 주석서들이나 학술적인 저작들을 읽어 보았다면(사실 그렇게 하는 것 자체가 시간과 돈을 낭비하는 일이다), 숫자가 제시될 때마다 마치 그 숫자가 일고의 가치도 없는 것인 양 그들이 묵살해 버리면서 다음과 같이 말하는 것을 보았을 것이다. "이 숫자는 오차가 전혀 없는 정확한 숫자라기보다는 완성을 나타내는 대략적인 숫자일 뿐이다." 세상에 가장 위대하다는 보수주의 학자들은 이런 터무니없는 방법을 따르면서 숫자에 대해 다음과 같이 조롱하고 있다. "요한계시록에서 말씀하는 1,000년은 실제 1,000년의 기간을 말하는 것이 아니라 완성을 의미하는 대략적인 숫자일 뿐이다." "기드온이 실제로 함께 싸웠던 사람들의 숫자는 300명이 훨씬 넘지만 그 내용의 저자는 대략적인 수 또는 완전한 의미의 수로서 300이란 숫자를 기록했을 뿐이다." 이런 사례들은 지겨우리만치 많다.

"일곱"이라는 숫자는 "완성"을 의미한다. "일곱"만큼 그 의미가 완벽하게 나타나는 숫자도 드물다. 흑인들이 흔히 이야기하듯이 "처음부터 끝까지"(From Generation to Resolution) 어디에서든 그 의미를 입증할 수 있다.

그렇다면 현재의 땅과 하늘에서부터 시작해 보자. 여기에서 말하는 현재의 땅과 하늘은 창세기 1:1에서의 최초의 창조가 아니라 재창조 때 만들어진 땅과 하늘이다. 자 현재의 땅과 하늘은 육일 동안 창조되었고, 하나님께서는 일곱째 날에 그분의 모든 일로부터 쉬셨다. 사실상 성경은 이와 같은 방법으로 시작된다. 그리고 흥미롭게도 성경은 "이 책"(this Book)이란 표현이 "일곱 번" 등장하는 "한 책"(요한계시록)으로 끝이 난다. 또한 그 책에는 "일곱 봉인," "일곱 호리병," "일곱 나팔," "일곱 촛대," "일곱 영," "일곱 교회"가 나온다. 요한계시록을 유심히 읽어 본 사람이라면 누구나 "성경"이 무한한 책으로서 끊임없이 순환하고 있다는 사실을 알고 있을 것이다. 그래서 창세기에서 보았던 "생명 나무"가 요한계시록에서 또다시 등장하는 것이다. 창세기에 나오는 하나님의 낙원도 요한계시록에서 다시 나타난다. 이처럼 성경은 창세기에서 요한계시록까지 순환하고 있는 것이다. 기독교교회협의회(NCC) 소속의 믿음 없는 지도자들은 "성경이 진리의 바다에 떨어진 한 방울의 물"이라고 입버릇처럼 이야기한다. 하지만 이것이 잘못된 이유가 바로 여기에 있으니, 성경은 끝이 없는 바다이기 때문이다. 물론 이 바다에는 NCC가 미처 발견하지 못한, 저 우주 위로 수천억 평방 마일의 크기로 펼쳐져 있는 어마어마한 바다도 포함된다.

"일곱"은 분명 완성의 수이다. 이러한 사실은 성경의 시작과 끝에서 분명하게 드러난다. 이에 대해 의심이 가는 사람이 있다면, 레위기 23장과 25장을 살펴보라. 이 두 개의 장을 공부하면 하나님께서는 반드시 "일곱"으로 일하고 계시다는 사실을 즉시 깨닫게 될 것이다. 사실상 "일곱"에 해당하는 히브리어는 "맹세하다" 또는 "자신을 맹세 아래에 두다"라는 의미를 지닌다. 주님께서 "내가 나 자신을 두고 맹세했노라."라고 말씀하실 때, 그것은 곧 "일곱으로 일하겠노라."라는 말씀이기도 하다. 이처럼 "일곱은 완결"을 의미한다.

레위기 23장과 25장에서 한 주는 칠 일이고, 일곱 주가 지나야 오순절이 된다. 또한 일곱 달을 헤아리면 장막절과 속죄일이 돌아오고, 일곱 해가 될 때 땅은 쉼을 얻는다. 그리고 일곱 해가 일곱 번이 지나고 나면 환희의 해가 돌아와 이스라엘에는 나팔 소리가 울린다. 사실 하나님께서는 "시대들"을 일곱 개의 기간들로 나누신다. "경륜들"도 마찬가지이다. 주님께서 일곱으로 일하신다는 사실에는 전혀 의심의 여지가 없다. 결국 "일곱으로 모든 시대"는 마무리된다.

창세기 1:1에는 최초의 땅이 나온다. 그런데 창세기 1:2,3에도 나와 있듯이, 이 땅은 멸망하여 형체가 없고 공허하게 되었다. 반면 현재의 땅은 창세기 4-8장의 홍수 이전에 있었다. 그리고 홍수로 잠겼고, 그 이후에는 창세기 10장으로부터 오늘날까지 그대로 보존되어 있다. 로마서 8장, 이사야 11장, 요한계시록 20장에서 보듯이, 예수 그리스도께서 이 땅에 돌아오시면 우리는 천년왕국에서의 땅을 눈으로 직접 보게 될 것이다. 그러나 베드로후서 3장, 이사야 66장, 요한계시록 20장에서 이 땅은 불타 없어진다. 이에 우리는 그분의 약속을 따라 새 하늘들과 새 땅을 기다리게 되는 것이다.

다시 한 번 자세히 살펴보면, "일곱 개의 땅"이 있음을 알게 된다. 새 하늘들과 새 땅은 여덟 번째에 해당한다. 이와 같은 일곱의 법칙은 음악과 예술의 법칙이기도 하다. 사실 "자연"의 법칙이다. 자연은 "열의 법칙"으로 흘러가지 않는다. 모든 것이 "일곱의 법칙"을 따르고 있다. 남성이든 여성이든 사람의 몸은 일곱 개의 지체들로 나뉜다. 정상적인 몸이라면 몸통 그 자체로부터 머리, 눈, 코, 입, 귀, 손, 발 모두 일곱 개의 지체들이 나오게 된다. 남성이든 여성이든 모두 마찬가지이다.

이것뿐만이 아니다. 색깔도 일곱 가지이다. 빨강, 노랑, 파랑, 세 가지 "원색"과 주황, 초록, 자주, 세 가지 "보조색" 그리고 검정, 이렇게 총 일곱 가지 색만 있으면, 어떤 색깔이든 만들거나 배합할 수 있다. "그러면 흰색은 어떻게 되는 거죠?"라고 묻는 사람이 있을 것이다. 사실 흰색은 색이 아니다. 이런 이유로 미국 남부에서는 "백인종"과 "유색인종"이라는 말을 쓰는 것이다. 이것은 과학적으로 올바르고 정확한 용어이다. 정확히 말해서 과학적으로 흰색은 색이 없는 상태에 해당한다. 흔히 하얀 피부나 핑크빛 피부 또는 그런 식의 표현을 사용하지만, "흰색"이란 용어 대신 "유색"이란 용어가 더 적절하다. 왜냐하면 흰색은 "무색"이기 때문이다. 이것이 바로 중요한 점이다. 따라서 일곱 가지 색깔만 있으면 어떤 것이라도 그릴 수 있다. 이는 일곱이 전부이기 때문이다. 일곱 가지 색 이외에 다른 색은 존재하지 않는다.

어떤 이들은 눈이 좋아서 모든 색깔들을 분별해 낼 수 있지만, 나는 눈이 그다지 좋은 편이 아니다. 나는 예술가이자 화가이지만, 구별해 낼 수 있는 색조가 약 360가지에 불과하다. 보통의 경우에 페인트 상점에서 판매하는 주택용 페인트의 색조는 무려 800가지가 넘는데, 나는 그 미세한 차이점까지 구별해내지 못한다. 그러나 이 800가지 이상의 색조들 각각은 빨강, 노랑, 파랑, 주황, 초록, 자주, 검정이 흰색과 혼합되어 만들어진다. 흰색은 그림을 그리는 종이 자체가 흰색이므로 색에 포함시킬 수 없다. 자 "일곱 가지 색"만 있으면 어떤 것이든 그릴 수 있다. 그릴 수 있는 능력만 있다면 말이다. 미켈란젤로나 다빈치, 렘브란트, 모네, 트루히요, 고야 또는 노먼 록웰 등의 화가들은 평생을 "일곱 가지 색"으로만 그림을 그렸다. 일곱 가지 색깔이

전부이지 그 이상은 없다!

음 역시 "일곱 개"이다. 베토벤, 브람스, 바흐, 차이코프스키, 라흐마니노프, 스트라빈스키, 슈만, 슈베르트, 멘델스존, 헨델, 코르사코프 등의 작곡가들의 펜 끝에서 나온 곡들 가운데 "일곱 음" 이외의 음을 사용한 곡은 단 하나도 없다. 알다시피 피아노의 "검은 건반"의 음은 "반음"이지 정식 음이 아니다. 음은 흰 건반이 내는 음만 해당된다. "여덟 번째 음"은 첫 번째 음과 다르지 않은데, 이는 첫 번째 음에서 한 옥타브를 올린 것이 바로 여덟 번째 음이기 때문이다. 따라서 "피아노의 음은 일곱 개가 전부"이다. 그 이상은 없다. 여덟 번째 음은 첫 번째 음에서 한 옥타브를 올린 것일 뿐이다.

그래서 "일곱"이라는 숫자에 대해서는 전혀 의심의 여지가 없다. 굳이 하나님의 말씀에서 찾아볼 필요도 없을 정도로 그 의미는 너무나 분명하다. 성경에서 일곱은 항상 완성을 의미한다. 일곱이 일곱 번이든, 일흔일곱이든, 일흔 번씩 일곱 번이든, 그것으로 끝이 난다. 클라렌스 라킨의 〈세대적 진리〉에서 주목해야 할 매우 흥미로운 사실 한 가지가 있는데, 이스라엘의 전체 역사가 각각 490년인 기간들로 나뉘고 있다는 점이다. 분명 490은 일곱에 칠십을 곱한 수이다. 이스라엘을 경륜적으로 다루시는 모습, 곧 일곱의 법칙에 따라 나누시는 하나님의 계획에 대해 주의 깊게 살펴보아야 한다. 일곱은 논쟁의 여지없이 너무도 분명하고 확실하게 완성의 수를 의미하고 있다. 비록 이방인들이 십진법을 기준으로 계산할지라도, 하나님께서는 일곱을 기준으로 계산하신다.

8 여덟(Eight)

일곱에서 "여덟"로 넘어가는 것은 그리 어려운 문제가 아니다. 앞장에서 일곱의 의미를 정확하게 이해했다면, 여덟이란 숫자에 대해서도 다 이해한 것이나 다름없기 때문이다. 일곱이 최종적인 완성을 의미하는 숫자라면(성경적으로 이 부분은 의심의 여지가 없다), "여덟"은 당연히 일련의 새로운 시작을 의미해야 한다. 이것은 음악이나 그 외에 다른 어떤 분야에서도 적용된다. 인체의 세포는 매 칠 년마다 한 번씩 바뀌고 새로운 세포가 다시 만들어진다. 따라서 "여덟은 완전히 새로운 어떤 것을 의미"하게 된다. 하나님의 말씀에는 다양한 경우에서 "여덟"이란 숫자가 여러 번 등장한다. 이것은 새로운 어떤 것을 시작하는 숫자임이 분명하다.

예를 들어보자. 일단의 사람들과 관련하여 "여덟"이라는 숫자는 노아와 그의 가족에 대해 설명하면서 처음으로 등장한다. 노아는 "여덟 번째 사람"인 의의 전파자였다(벧후 2:5). 베드로전서 3:20에 따르면 방주 안에는 "여덟 혼들"이 타고 있었고, 이후 이들은 새로운 땅에서 살았던 사람들이다. 이전의 문명이 완전히 파멸된 이후, 처음부터 새

롭게 시작하는 사람들이었던 것이다.

그리고 아이가 태어나면 “팔” 일째에 할례를 받는다(눅 2:21). 이것은 너무도 분명한 사실이다. 레위기 12:13; 14:10,23; 15:14,29 등과 같은 구절에서도 동일한 내용이 언급되고 있다. 할례는 여덟 번째 날에 행해야 할 의식이라는 사실을 주목하라. 성경에서 할례에 대해 공부해 본 사람이라면 누구나 할례가 어떤 의미를 지니는지 잘 알고 있다. 할례는 “새로운 피조물”의 유형이다. 살을 베는 것은 사람의 씨와 연관된다. 골로새서 2:11의 그리스도의 할례는 한 사람을 그리스도 안에서 새로운 피조물로 만든다. 그런데 구약에서는 할례를 여덟 번째 날에 행했다. 바울은 빌립보서 3:5에서 자신이 팔 일 만에 할례를 받았다고 말한다. 아브라함 역시 팔 일 만에 이삭에게 할례를 행했고(행 7:8), 주 예수 그리스도께서도 마찬가지이셨다(눅 1:59). “여덟이 새로운 어떤 것을 보여 주고 있다는 것은 분명한 사실이다.” 이새의 일곱 명의 아들들은 한 무리로 묶여지는 반면, 여덟 번째 아들인 다윗은 그리스도의 예표로서 그들과는 구분되는 새로운 인물이다.

성경에서 “여덟”의 의미가 그러하다면, 당연히 여덟의 배수들도 완전히 새로운 어떤 것과 연관될 것이다. 다른 의미를 함축하는 경우도 있겠지만 기본적인 의미가 달라지지는 않는다. 주 예수님께서 그 숫자와 연관된 다른 의미를 보여 주시지 않는 한 달리 생각할 이유가 없다. 800, 8000, 8의 2배나 3배 등 다른 배수들이 많이 있지만, “여덟”은 기본적으로 새로운 어떤 것을 상징한다.

9 아홉(Nine)

숫자 "아홉"은 그 의미를 정확히 알아내기가 다소 힘들다. 이 숫자의 의미를 찾아냈다고 말하는 수비학 서적들이 있을지 모른다. 나는 아홉에 대해 면밀히 살펴보았지만, 솔직히 말해서 그 확실한 의미를 알아낼 수 없었다. 여기에서는 의미를 찾는 데 도움이 되는 몇 가지 사실들을 제시하려고 한다.

비록 완벽하게 이해했다고 말할 수 없지만, "아홉"은 "열매를 맺는 것"과 연관되어 있는 것 같다. 또한 "언약들"과도 다소 연관이 있어 보인다. 그리고 아홉은 그 의미가 확실하게 나타나는 "이방인의 수"("열")보다 하나가 부족하고, 새로운 사람, 새로운 창조를 의미하는 숫자, 즉 여덟보다 하나가 더 많다. 또한 이 숫자는 우리가 하나님께 "십분의 일"을 드리고 남는 부분에 해당하기도 한다. 하나님께서 아브라함과 언약을 맺으실 때 그의 나이가 구십구 세였다는 것은 아홉의 의미를 찾는 데 있어서 다소 의미가 있다. 로마서 4장에서는 죽은 것 같은 그가 결국 결실을 보게 되었다고 말씀한다. 그리고 그리스도께서는 이렇게 말씀하셨다. 『**한 알의 밀이 땅에 떨어져 죽지 아니하면 한**

알 그대로 남아 있지만 죽으면 많은 열매를 맺느니라』(요 12:24).

"아홉"은 열매를 맺는 것과 연관이 있는 듯하다. 왜냐하면 갈라디아서 5:22,23에 열거되는 성령의 "열매"는 "아홉" 가지이기 때문이다. 그 중에서 세 개는 내적인 것이고, 다른 세 개는 외적인 것이며, 나머지 세 가지는 하나님을 향한 열매이다. 갈라디아서에 제시되어 있는 이러한 능력 및 성품과 비교하여, 고린도전서 12장에서는 성령의 "아홉 가지 은사들"이 나온다는 사실을 주목하라. 성령의 열매와 연관된 내용을 다루는 이 두 경우에서 각각 "아홉 가지"로 제시하고 있는 것이다. 게다가 아홉은 새로운 시작을 알리는 여덟 다음에 오는 숫자이다.

분명하게도 창세기 9:9에서는 한 언약이 나온다. 『**보라, 내가 내 언약을 너희와 너희 뒤에 올 너희 씨와... 세우리니**』(창 9:9,10). "첫 언급의 법칙"에 따라 일련의 숫자들도 성경의 첫 번째 책인 창세기에서 그 이후로 등장하게 될 동일한 숫자들의 의미를 결정해 주고 있기에, 이 구절은 다소 중요한 의미를 지니게 된다. 아브라함과 언약이 맺어진 것은 그의 나이 구십구 세의 일이었다. 하지만 앞서 말했듯이 이 부분에 관하여 확신 있게 말할 수는 없다. 창세기 17:1에서 아브라함이 구십구 세였을 때 그와 언약이 맺어졌다. 게다가 그는 "죽은 자"로 언급된다.

그러나 성경에서 "아홉"이 등장하는 다른 구절들을 보면, 그 의미가 여기에서 설명한 의미와 잘 맞아떨어지지 않는다. 재판관기 4:3에서는 구백 대의 철병거가 등장하는데, 하나님의 말씀의 다른 부분에서는 이 철이 거인들과 다소 연관되어 있다. 바산 왕 옥이 사용했던 침상은 철로 만들어졌는데, 『**그 길이가 아홉 큐빗**』(신 3:11)이었다. 창세기 5장에 나오는 계보를 보면, 족장들의 시대에는 유독 아홉이라는 숫자가 두드러지게 등장하고 있음을 알게 된다. 이 한 장에서만도 "구백"이 여섯 번, "구십"이 세 번으로, "아홉"이란 숫자는 총 아홉 번 나타나는 것이다. 따라서 여기에서는 그 의미가 무엇인지 명확하게 말할 수 없다. 앞에서 다섯에 대해 살펴볼 때, 비행기 사고가 났을 때 알리는 조난 신호 "메이데이"(Mayday - "May"는 다섯 번째 달임)를 언급했었다. 또한 건선거(dry dock)에 있던 배가 물속에서 고장을 일으켰을 때 사용되는 "제5고장"과 SOS를 위한 국제조난 주파수 500킬로사이클에 대해서도 언급했었다.

그런데 이단들 안에도 약간의 진리가 들어 있는 경우가 있다. 게다가 하나님께서 모든 진리의 창시자이시듯이, 미신들도 나름대로는 그 배경을 절대적인 진리 안에 두고 있다. 그러므로 하나님께서는 절대적인 기준을 세우신 분이시고, 이 세상의 모든 모방과 위조는 이 기준으로부터 만들어질 수밖에 없다. 그래서 사람들이 보편적으로 사용하는 특유의 표현이 있는데, 곧 "Cloud Nine"(클라우드 나인 - 행복의 절정, 더없이 즐거운, 기분이 들떠 있는)이다. 이것이 정확하게 무슨 의미인지는 완벽하게 이해하지 못하지만, 즐거움이나 행복을 의미하는 표현인 것은 분명하다. 영어권 국가에서는 행복하고 즐거운 상태에 있는 사람을 두고 "That fellow is on Cloud Nine!"(저 사람 아주 기분이 들떠 있구먼!)"이라고 말한다.

나는 "아홉"이라는 숫자에 대해 특별한 관심을 두고 있지만 여태껏 그 의미가 무엇인지 완벽하게 찾을 수 없었다. 그래서 지금도 공부하고 있다. 번지수, 전화번호, 군대 소총의 일련 번호, 군사 주특기, 내가 살았던 주거지에 대한 거의 모든 내용들이 아홉의 배수들이나 아홉 그 자체 또는 아홉을 만들 수 있는 조합들과 어떤 연관성이 있는지 계속 연구하고 있는 것이다.

아홉과 관련하여 잘 알려진 다른 사례로는 아흔아홉 마리의 좋은 양과 잃어버린 한 마리 양의 비유가 있다. 그리고 예레미야 52:4-6에서는 예루살렘이 "아홉째 달"에 파괴되었다. 예레미야 36:23에서는 예후디가 성경을 칼로 잘라 버렸는데, 그때가 바로 "아홉째 달"이었다(렘 36:22). 아홉은 아이를 낳는 여인들의 임신 기간("9개월")과도 연관되어 있다. 코넬료가 베드로와 관련된 환상을 본 것은 "제구시"경이었다(행 10:3). 에스겔 24장에서는 "아홉째 해"에 관하여 말씀한다. 이외에 몇몇 다른 구절들에서도 아홉은 등장한다. 하지만 그 숫자가 무엇을 의미하고 있는지에 관해서는 결정적인 증거가 제시되고 있지 않다. 아홉은 분명 셋과 셋을 곱한 수로 구성되는 숫자이기에 좋은 의미를 지니고 있을 것이다.

또한 우리는 다음과 같이 조합해 볼 수도 있다.

❶ "여섯과 셋"으로 이루어진 조합 - 여섯은 사람의 수이고 셋은 삼위일체를 나타낸다. 이것은 분명 "열매를 맺는 것"을 보여 준다.

❷ "여덟과 하나"로 이루어진 조합 - 여덟은 새로운 피조물이고 하

나는 일치를 나타낸다. 이것 역시 "열매를 내는 것"과 연관된다.

❸ "일곱과 둘"로 이루어진 조합 - 일곱은 완성의 숫자이고 둘은 분리를 의미한다. 이것은 매우 특이한 조합으로서, 숫자상으로는 특별한 의미를 얻을 수 없다.

❹ "다섯과 넷"으로 이루어진 조합 - 다섯은 죽음을 상징하고 넷은 그에 대한 완벽한 의미를 확실하게 찾을 수 없다. 만일 넷이 세상을 의미한다면 아홉은 세상과 죽음의 조합이 되고, 결국 좋지 않은 의미를 내포하게 된다.

그러나 이상하게도 성경에서 아홉과 연관된 대부분의 내용들은 "좋은 의미"를 내포하고 있다. 그러한 내용들은 세상에서 가장 오랫동안 살았던 사람들과 관련되어 있다. 비록 거인들과 연관해서 언급한다 하더라도, 이는 최소한 그들이 지금까지 살았던 사람들 중에서 가장 거대한 사람이었음을 시사해 준다. 갈라디아서에는 성령의 열매들과 특별한 연관성을 맺고 있다. 고린도전서의 성령의 은사들은 열매를 맺는 일과 연관된 어떤 영적인 것에 대해 분명하게 보여 준다. 아브라함의 사례는 이미 앞에서도 들었다. 그는 구십구세가 되어서야 결실을 보게 되는데, 아홉이 여인들의 임신 기간(9개월)과 연관되어 있다는 사실은 매우 의미심장하다. 그러나 여기에서는 이에 대해 단정적으로 결론을 내리지는 않겠다. 왜냐하면 아직은 증거가 충분하지 않고, 또 한 가지 이상의 의미를 지니고 있을지도 모르기 때문이다. 아무튼 아홉은 중요한 의미를 지니고 있는 것 같다.

10 열(Ten)

이제 "열"이란 숫자에 대해 살펴보자. 성경의 숫자들 중에서 열은 "다섯"과 "일곱" 다음으로 그 의미를 가장 쉽게 파악할 수 있는 숫자이다. 이 숫자보다 의미를 쉽게 찾을 수 있는 숫자는 "다섯"과 "일곱"뿐이다. 게으르고 불경하며, 게다가 〈킹제임스성경〉을 신뢰하지 않는 학자들은 "열"이란 숫자를 대략적인 수나 완전함의 수 정도로만 설명한다. 그러나 〈킹제임스성경〉이 하나님께서 사람들에게 주시기로 의도하셨던 그 형태로 보존된 하나님의 말씀이라고 믿는 사람들은 "열"이란 단어의 의미를 쉽게 찾을 수 있다. 교리적으로 어떤 반박이나 논쟁의 여지가 없을 만큼의 확실한 의미를 쉽게 발견하게 된다. 여기에서 또다시 "럭크만은 자기는 옳고 그 밖에 모든 사람은 틀렸다고 생각하는 사람"이라고 말하는 사람이 있을 것이다. 하지만 그 말은 "성경"이 옳고 성경과 일치하지 않는 사람은 누구라도 완전히 틀렸다는 것을 의미할 뿐이다. 성경에 동의하지 않는 그 누구라도 결국 완전히 틀리게 되어 있다. 분명 열이란 숫자는 그 의미를 쉽게 정의내릴 수 있다.

노아는 아담의 십 대 손으로서 "이방인들"의 조상이다. "이방인들"이 십진법에 따라 수를 센다는 사실이 놀랍지 않은가? 그것으로 충분하지 않다면, 창세기 10장에서 최초의 "이방 왕국"이 시작되었고, 다니엘 2장에서 마지막 "이방 왕국"은 그 안에 열 나라로 구성되어 있다는 사실을 주목하라. 보다 더 확실한 증거를 원한다면 창세기 "10장" 전체를 읽어 보라. 여기에는 "이방인들"의 계보가 등장한다. 그래도 의심이 든다면 사도행전 "10장"을 보라. 이곳은 신약에서 복음의 문이 "이방인들"에게 열리는 장이다. 이방인들을 향한 선교의 부르심과 메시지는 로마서 "10장"에 나온다. 그리고 요한계시록 "10장"에서는 주님께서 땅 위에 발을 딛고 서시어 이방의 왕국들을 차지하신다. 열은 의심할 여지없이 이방인들과 관련이 있다. "열은 이방인의 숫자"이다. 뒤에서 살펴보겠지만 열둘은 분명 유대인의 숫자이다. 이 열둘과는 반대로 열은 이방인을 나타낸다.

이러한 사실이 가너 테드 암스트롱의 논거에 다소 무게를 실어줄지도 모른다. 비록 그가 이와 관련된 진리를 몰랐겠지만 말이다. 만약 알았다면, 그는 분명 지금보다 오래전에 이러한 사실을 적용했을 것이다. 주지하다시피 그는 "이스라엘의 북쪽 열 지파"가 유럽 전역으로 흩어져 후일 영국과 미국이 되었다고 주장했다. 이것이 바로 "영국 이스라엘주의"(British Israelism)로서 약 100년 전에 암스트롱에 의해 제기되었다. 그런 말도 안 되는 이론을 믿을 사람이 있을까마는 그래도 수십 명의 사람들이 그 주장에 동의하고 있다는 사실을 보면 그저 놀라울 따름이다. 이렇게 되면 남쪽의 두 지파, 곧 유다와 베냐민이

남게 된다. 여기 유다 지파에는 레위 지파가 포함되어 있다. 이것이 바로 가너 테드 암스트롱이 그 문제에 관해 가지고 있던 입장이었다.

성경에서 열이란 단어는 창세기 5:14에서 처음으로 등장한다. 여기에서는 한 사람(카이난)의 수명과 관련하여 그 날들이 구백"십" 년이었다고 말씀하는데, 이때 처음으로 열이란 단어가 나온다. 이것은 율법 이전에 어떤 사람의 수명에 대한 언급이다. 그들은 모두 율법 시대 이전에 살았던 이방인들이다. 물론 이들은 나중에 가서 야펫, 함, 셈으로부터 나오는 이방인들로 나뉘게 된다. 반면 신약에서는 이방인과 유대인과 교회로 구분된다. 그리고 율법 이전에 아브라함은 할례 받지 않은 이방인이었다.

"열"이란 단어가 그 다음으로 성경에 등장하는 것은 창세기 16:3에서이다. 창세기 18:32에서도 소돔과 고모라와 관련하여 열이란 숫자가 등장하고 있음을 주목하라. 이 성읍들은 아브라함, 이삭, 야곱의 후손들이 살았던 땅이 아니라 카나안인들의 거주지였다. 그 다음에는 열이란 단어가 세 번 연속으로 등장하는데, 창세기 24:10,22,55이 그렇다. 이 구절들에서는 "열 마리의 낙타"가 언급되고 소녀로 "열흘"을 머물게 해야 한다는 언급이 나온다. 그런데 이 소녀는 아직 할례 받지 않은 조상들, 곧 아브라함의 조상들의 후손이었다. 라반을 비롯하여 이들 나머지 사람들은 하나님께서 아브라함에게 할례를 행하시고 그를 독특한 백성과 민족으로 만드시기 전에 다른 지역에서 머물러 있었다. 이처럼 열이란 용어는 "분명 이방인을 나타낸다."

국제연합(UN) 산하의 지상 최후의 세계 강대국은 다니엘의 형상에서 열 발가락으로 상징되는 "열 왕국으로 구성된 이방인들의 연합 왕국"이 될 것인데, 이들은 "요한계시록 17장에 나오는 열 왕들"에 해당한다. 이것이 예수 그리스도께서 돌아오시어 영원한 왕국을 세우시기 바로 직전에 이방 세계를 제패하게 될 왕국이다. 최초의 이방 왕국은 창세기 10장에서 "아담의 열세 번째 후손"인 님롯에 의해 세워졌다.

이렇듯 우리는 지금 세상에서 확립해 놓은 과학적인 사실을 다루고 있다. 우연하게 일어나는 어떤 일을 다루고 있는 것이 아니다. 모든 숫자들에 영향을 미칠 만큼의 큰 의미를 지닌 근원적인 법칙을 다루고 있는 것이다. 물론 각각의 숫자들에 부합하는 모든 내용들을 충족시킬 만한 어떤 원리를 이끌어내지는 못할 수도 있다. 또한 성경에 나오는 모든 사례들을 일일이 다 조사할 수도 없다. 사례가 등장할 때마다 그 의미를 증명해 내고 또 우리가 말하고자 하는 바를 그 사례와 연결시키지 못할 수도 있다. 다만 여기에서는 "중력의 법칙"처럼 대체적으로 사실이라고 알려진 일반적인 원칙에 대해 다룰 뿐이다. 혹자는 "하지만 중력의 법칙은 항상 진리인데요."라고 말할 것이다. 유감스럽게도 반드시 그렇지만도 않다! 중력의 법칙은 숫자들에 관한 법칙만큼이나 과학적일 뿐이다. 언젠가는 중력의 법칙이 숫자들의 법칙에 근거하고 있다는 사실이 밝혀질 것이다. 성경의 용례처럼, 숫자들은 우리에게 각 숫자에 대한 기본적인 의미를 파악할 수 있는 실마리와 열쇠를 제공한다. "열"은 이방인의 숫자이다.

11 열하나(Eleven)

성경에 나오는 모든 숫자들 중에서 만족스런 정의를 내리기가 가장 어려운 수가 바로 "열하나"이다. 솔직히 말해서 나는 이 숫자에 대해 아무런 결론도 내리지 못했다. 이와 관련된 책들을 읽었고 수비학 관련 서적들을 살펴보았지만, 아무도 만족스런 답변을 제시해 주지 못했다. 성경에서 이 숫자의 정확한 의미에 대해 찾아보았지만 이렇다 할 실마리를 찾아내지는 못했다.

어떤 숫자의 의미를 찾을 때 흔히 하던 방법대로, 우선은 그 숫자에 해당하는 책을 찾아보아야 한다. 지금은 열하나에 대해 살펴보고 있으므로, "성경에서 열한 번째 해당하는 책"을 찾아볼 필요가 있다. 이런 방법에 따라 열한 번째 책을 펼쳤다면, 이제는 "열한 번째 장"의 "열한 번째 구절"을 찾아야 한다. 물론 이렇게 하는 것이 매번 효과가 있는 것은 아니지만, 그래도 가끔씩은 유효한 방법이다.

성경에서 열한 번째 책은 열왕기상이다. 열왕기상 11장에서는 이스라엘의 왕 솔로몬의 시대에 대한 것을 다루고 있다. 열왕기상 11:11은 솔로몬이 주께서 그와 맺으신 언약들을 지키지 않은 것에 대해 주님께서 경고하시는 내용이다. 이 구절 자체로는 열하나의 의미를 파악하기가 어렵다. 그 구절 자체로서는 의미가 있겠지만 본 주제를 다루는 데에는 별 도움이 안 된다. 성경의 열한 번째 장인 창세기 11장도 마찬가지이다. 창세기 11장에는 바벨탑이 등장하고 사람들은 온 지면으로 멀리 흩어진다. 성경에서 "열하나"라는 단어가 최초로 등장하는 구절은 창세기 32:22이다. 창세기 37:9에서는 분명한 암시가 주어지는데, 요셉을 제외하고 나머지 이스라엘의 아들들에 대한 언급이 나오기 때문이다.

신약에서도 "열하나"란 숫자가 등장하는데, 마태복음 28:16에서는 열한 명의 제자들이, 마가복음 16:14에서는 열한 명이, 사도행전 1:26과 2:14에서는 열한 사도가 나온다. 이 구절들에서 "열한 명"은 유다를 제외한 사도들이다. 당시에 그들이 유다의 빠진 자리를 대신할 사람을 선정해야만 했다는 것을 감안하면, 이 숫자는 불완전한 수이다. 예수님께서는 마태복음 19장에서 열두 사도가 열두 보좌에 앉아서 이스라엘의 열두 지파를 심판할 것이라고 약속하셨다(마 19:28). 숫자 그 자체로 보면, 열하나는 "이방인의 숫자(열)보다는 하나가 많고 이스라엘의 숫자(열둘)보다는 하나가 부족하다."

성경에서 "열둘"이 "열하나"와 "하나"로 나뉘는 경우는 매우 드문데, 앞에서 유다 이스카리옷의 경우는 예외이다. 보통의 경우에는 "열"과 "둘"로 또는 "여섯"과 "여섯"으로 구분된다. (이외에 다른 형태로 나뉘는 경우는 본 적이 없는 것 같다.) 열둘이 등장하면 으레 여섯과 여섯으로 나뉘게 된다. 이를테면 여섯 지파라든지, 에봇 어깨에 부착하는 두 개의 보석 각각에 새기는 여섯 이름들이라든지, 한쪽 저주의 산(에발 산)을 향해 선 여섯 지파와 다른 쪽 복의 산(그리심 산)을 향해 선 여섯 지파라든지 그와 연관된 내용들이 그렇다. 이스라엘의 열두 지파는 항상 열 지파와 두 지파로 나뉜다. 반면 열하나와 하나로 구분되는 경우는 그렇게 좋은 것을 예고하지 못한다. 이는 "유다 이스카리옷의 경우가 유일"하다. 성경에서 그와 다른 형태로 구분되어 사용된 용례는 본 적이 없는 것 같다.

민수기와 신명기에서는 열한 번째 달이 상당히 많이 언급되고 있지만 거기에서 무슨 특별한 의미가 발견되는 것은 아니다. 마태복음 20:6에 나오는 "제십일시"는 마지막 시간의 의미로 사용되고 있고, 마태복음 20:9도 마찬가지이다. 열하나란 숫자는 재앙이 일어나기 바로 직전의 어떤 것을 의미하는 것 같지만, 그에 대한 정확한 의미를 찾아내기는 어렵다. 따라서 나는 이 숫자에 대한 정확한 의미를 모른다.

조합으로 그 의미를 추적해 볼 수도 있다. 우선 열하나는 열과 하나로 구성된다. 논쟁의 여지가 없이 열은 분명 이방인의 숫자이고, 하나는 일치나 단일 또는 결합(통합)을 의미한다. 하지만 이 조합으로는 어떤 의미도 발견할 수 없다. 아홉과 둘의 조합으로도 생각해 볼 수 있다. 둘은 분리를 의미하는 수이고 아홉은 열매를 맺는 것과 연관되어 있을 가능성이 높다. 그러나 여기에서도 의미를 찾아내기가 어렵다. 이번에는 일곱과 넷으로 나누어 보자. 일곱은 완전함이나 완성을 나타내지만, 넷의 의미에 대해서는 아직 정확히 정의를 내릴 수 없다. 다섯과 여섯의 조합도 생각해 보자. 여섯은 사람의 숫자이고, 다섯은 죽음을 의미한다. 이렇게 보면 그다지 좋은 조합이라고 할 수 없다.

"열하나"는 좀처럼 그 의미를 추측할 수 없을 만큼 다크호스에 해당하는 수이다. 이 숫자는 대개 폭풍 전의 고요한 상태나 어떤 것이 파멸되기 직전의 마지막 시간을 의미한다. 물론 그 이유는 낮이 열두 시간이고 밤도 열두 시간이기 때문이다. 앞서 말했듯이, "열하나"의 의미를 규명할 수 있는 결정적인 증거들을 아직 찾지는 못했다.

12 열둘(Twelve)

우리는 다시 그 의미가 매우 확실한 숫자에 대해 공부하게 되는데, 곧 "열둘"에 대해 알아볼 것이다.

영원에서는 "구원을 받은 열두 민족"이 등장하는데, 이는 신명기 32:7,8에서 보듯이 주 하나님께서 이스라엘 자손의 수에 따라 민족들의 경계를 정하셨기 때문이다. 이스라엘의 "자손은 열둘"이고, 출애굽기에서는 대제사장의 흉배를 만들 때 그들을 나타내는 "열두 개의 보석들"을 달았다. 요한계시록 12장에 나오는 여인의 머리에는 "열두 별"이 있는데, 이것은 이스라엘의 "열두 지파"를 상징한다. 또한 요한계시록 21,22장에 나오는 "새 예루살렘" 성벽에는 지파들을 위한 "열두 대문"이 있고, 그 도성 안에는 사도들을 위한 "열두 기초석"이 있다. 또한 열두 지파의 수를 따라 계수된 민족들을 위해 "열두 가지 과실"이 맺힌다. 이상의 증거들로 충분하지 않다면, 황도 12궁의 "열두 별자리들"은 "달들"의 수(일 년은 열두 달임)에 부합하고 또 대제사장의 흉배 안에 있는 출생석에 따른 민족들의 숫자와 일치한다는 사실을 주목하라. 그리고 대환란 동안에 이스라엘이 얻게 될 구원을 다루고 있는 다니엘은 총 열두 장으로 구성되어 있다. 창세기 12장에서 최초의 히브리인 또는 유대인이 불러냄을 받는 사실도 확인해 볼 수 있다. "창세기 12장 이전에는 어떤 유대인도 없었다." 유대 국가가 시작되는 것은 출애굽기 12장에서이다. 또한 민수기 12장과 요한계시록 12장도 주목해서 봐야 한다.

이처럼 "열둘"은 분명 이스라엘을 언급하는 숫자이다. 이 수와 관련된 그 어떤 것도 이스라엘과 연관되어 있다. 흔히 열둘은 "정부"를 상징한다고 이야기한다. 물론 이것은 순전히 사람들이 꾸며낸 정말 터무니없는 이야기이지만 전혀 일리가 없는 것도 아니다. 왜냐하면 열둘은 언제나 다름 아닌 "이스라엘 국가"를 상징하기 때문이다. 만일 이 숫자가 정부를 상징한다면, 그것은 "이스라엘에 관계된" 정부를 말하게 된다. 열둘은 분명 "이스라엘"을 상징하는 수이다. 몰록의 그 두 개의 별들을 모아 놓은 것이 바로 렘판의 별인데(행 7:43), 흔히 알고 있듯이 이 별은 전혀 이스라엘의 상징이 아니다. 렘판은 "거짓 신"일 뿐이다. 그런데 두 개를 모아 만든 이 도형에는 한 개당 여섯 개씩의 점이 있으므로 모두 열두 개의 점이 형성된다. 여하튼 "열둘"은 이스라엘을 상징한다. 이 의미를 찾는 것은 매우 쉽다.

13 열셋(Thirteen)

열셋 역시 의미를 정의하기가 아주 쉬운 숫자이다. 여기에는 어떤 의심의 여지도 없을 만큼 의미가 분명하다. 성경에서 열셋이 등장하는 사례의 85%는 "나쁜"(좋지 않은) 어떤 것을 언급하고 있다. (한 번 모든 구절들을 검토해 보라.)

요한계시록 17장에 등장하는 창녀의 이마에 기록된 이름은 영어 〈킹제임스성경〉의 경우 모두 "열세" 개의 단어들로 이루어져 있다(계 17:4, "MYSTERY, BABYLON THE GREAT, THE MOTHER OF HARLOTS AND ABOMINATIONS OF THE EARTH"). 유다 이스카리옷(Judas Iscariot)이라는 이름도 영어로 보면 철자 수가 모두 "열세" 개이다. 게다가 그에 관한 언급이 요한복음 13:13에 나오는데, 영어 〈킹제임스성경〉의 경우 번역자들이 의미 전달을 위해 첨가한, 곧 이탤릭체로 표기한 "so"를 빼면 이 구절 역시 열세 개의 단어로 구성되어 있음을 알게 된다. 심지어 이 열세 개의 단어는 "서른아홉"(3×13) 개의 철자로 이루어져 있다. 그리고 요한계시록에는 "용"이라는 단어가 열세 번 나온다. 성경에서 적그리스도의 첫 번째 유형은

님롯으로서, 그는 아담의 십삼 대 후손이다. 율법의 저주는 갈라디아서 3:13에 나오고, 사람들이 율법의 저주로부터 해방되는 방법이 사도행전 13:39에서 언급된다. 이 구절에서 39는 13의 배수이다. 또한 구약은 "39권"(3×13)으로 이루어져 있고, 영어 〈킹제임스성경〉의 경우 구약의 마지막 단어는 "저주"(curse)이다. 예수님께서는 인간의 마음속에 들어 있는 악을 "열세" 가지로 열거하신다. 레위기에서 불결한 짐승들에 대한 목록을 보면, 그 수가 총 "스물여섯"이다. 마가복음 1:13에서는 사탄이 등장한다. 고린도후서 11:24에 따르면, 율법을 어겼을 경우 사십에서 하나 뺀, 곧 "서른아홉"(3×13) 대의 매를 맞게 된다. 적그리스도의 유형인 앗시리아 왕은 성경에서 "열세" 번 언급된다. 에스라 2:13과 요한계시록 13:18에는 "666"이라는 숫자가 등장한다. 역대기하 9:13에서도 이 숫자를 발견하게 되고, 요한계시록 2:13에서는 마귀에 관한 또 하나의 언급이 나온다. 열셋의 다른 배수들인 26, 39, 52의 경우까지 언급하면 지면이 모자랄 만큼 사례들이 너무도 많다. 이처럼 열셋은 의심할 여지가 없이 의미가 명확한 숫자이다.

열셋이란 숫자는 그와 연관된 일종의 미신을 지니고 있는데, 여기에는 그럴 만한 충분한 이유가 있다. 이로 인해 당신은 그 숫자에 대해 극도의 의심스런 태도를 보일 수 있는데, 이것을 지켜본 정신과 의사는 당신에게 "13에 대한 공포증"에 걸린 것 같다고 진단을 내리게 된다. 하지만 그렇다고 달라질 것은 아무것도 없다. 열셋이란 숫자는 약 85%의 사례에서 나쁜 의미를 그 안에 내포하고 있기 때문이다.

바울은 열세 개의 서신(과도기적인 책인 히브리서는 별도로 함)을 썼고, 그는 열세 번째 사도였다. 그리고 기독교교회협의회(NCC)가 기초와 토대로 삼고 있는 책은 고린도전서이다. 사실 사람들이 걸려 넘어지고 억지로 풀다가 스스로 멸망에 이르는(벧후 3:16) 책들은 다름 아닌 바울 서신들이다. 게다가 로마카톨릭은 바울 서신들을 한쪽으로 제쳐두고 그 대신 유대인을 위한 마태복음을 붙들고 있는데, 이는 베드로가 그들의 최초의 교황이라는 사실을 입증해야 되기 때문이다.

이렇듯 "열셋"은 의미가 매우 분명한 숫자이다. 쟁론의 여지가 전혀 없다.

나는 항상 사람들에게 미국이 52개 주가 되기 전부터 그렇게 될 것이라고 수년 동안 말해왔다. 과거에 미국 정부가 발행했던 "은태환 지폐"(은증권 - 연방 준비 은행권과는 다름)인 달러 지폐에는 주들이 26개로 표기되어 있었다. 미국의 "대문장" 앞면에 기록되어 있는 "E Pluribus Unum"(라틴어, "여럿으로 구성된 하나")의 철자는 모두 "열셋"이다. 게다가 그 문장 안에는 "열세" 개의 별과 "열세" 개의 줄무늬가 그려져 있다. 또한 철자가 "열셋"인 "Don't tread on me"(나를 밟지 마라)라는 문구가 적힌 미국의 한 군기에는 최초 "열세" 개의 식민지를 상징하는 뱀이 그려져 있었다. 남북 전쟁 당시 패배했던 남부 연합의 깃발을 보면, 깃발 중앙에 "X"자 모양으로 가로지른 줄무늬 위에 "열세" 개의 별이 그려져 있다. 열셋은 "반역"의 숫자이다. 성경에서 열셋이 처음으로 등장하는 창세기 14:4에서는 다음과 같이 말씀한다. 『**그들이... 십삼 년째에 반역하였더라.**』 이 숫자의 의미는 어떠한 의심의 여지도 없이 명확하다.

이제 다루게 될 비교적 간단한 숫자들, 곧 “사십”과 “천”을 제외하면, 그 의미를 정확하고 분명하게 파악할 수 있는 숫자들은 사실상 여기에서 끝이 난다.

40 사십(Forty)

사십은 비교적 간단한 숫자이다. 이는 "시험"이나 시험의 기간을 나타내는 것이 분명하기 때문이다. 실제로 성경에서 사십이라는 단어가 나올 때면 항상 시험과 연관되어 있고 그에 관한 문맥이 등장하게 된다. 즉 이 숫자는 "어떤 시험의 유형"과 연관되어 있는 것이다.

그저 단순하게 "사십"이란 단어가 처음으로 등장하는 곳은 창세기 5:13인데(『**팔백사십 년을 살면서**』), 여기에서는 한 사람의 수명을 언급하고 있다. 그러나 이 구절에서와 같이 "팔백"과 같은 숫자들이 붙지 않고 "사십"이란 숫자만 단독으로 등장하는 경우는 창세기 7:4이다. 여기에서는 사십 일 낮과 사십 일 밤 동안 땅 위에 비를 내리실 것이라고 말씀한다. (이 내용은 창세기 7:12에서 다시 한 번 등장한다.) 이렇게 처음으로 언급되고 있는 문맥은 이후에 등장하게 될 "사십"이란 숫자의 의미를 결정짓는다("첫 언급의 법칙"). "에서"가 문제를 일으키고 잘못된 아내를 얻은 나이가 사십 세였다는 사실을 주목하라. "이삭"이 리브카를 아내로 맞이한 나이도 사십 세였다. "이스라엘 자손"은 사십 년 동안 광야에서 시험을 받고 나서야 비로소 반역자들이 그들 가운데서 완전히 사라져 버렸다. "예수 그리스도"께서는 사십 일 낮과 밤을 금식하셨다. "모세" 자신도 사십 일 낮과 사십 일 밤을 금식하면서 산 위에 있었다(출 24:18). 열왕기상 19:8에 따르면, 선지자 "엘리야" 또한 동일한 상황에 처해 있었다. 엘리야는 사십 일 밤낮을 아무것도 먹지 않고 가서 하나님의 산 호렙에 이르렀는데, 이것은 시험을 위해 주어진 날들과 기간이었다. 사도행전 4:22에서 치유된 사람은 나이가 사십 세가 넘었는데, 이것이 치료를 받기 위한 절대적인 나이 또는 제한적인 나이로 여겨진다. 그래서인지 몰라도 흔히들 "인생은 사십부터"라고 말한다.

이스라엘 자손이 사십 년 동안 광야에 거했다는 언급은 상당히 많이 나온다. 이를테면 히브리서 3:9,17, 민수기 14:33,34, 신명기 2:7; 8:2이 그렇다. 게다가 신명기 10:10에서는 사십 일 낮과 사십 일 밤을 금식했던 모세에 대해 언급하고 있다. 재판관기 3:11과 8:28에서는 재판관 옷니엘과 기드온의 시대에 이스라엘 땅이 각각 사십 년 동안 안식했다고 말씀한다. 사무엘상 4:18에 의하면, 제사장 엘리가 사십 년간 이스라엘을 재판했다. 이것으로 충분하지 않다면, 사도행전 13:21에서 이 사십 년이란 기간이 "사울"의 통치 기간이었다는 사실을 유념하라. "솔로몬"의 통치 기간(왕상 11:42)과 "다윗"의 통치 기간(왕상 2:11)도 이와 마찬가지였다. 이 세 왕의 통치 기간이 모두 사십 년이었다는 사실은 매우 의미심장하다. 이는 어떤 시험의 기간이나 어떤 사실에 대한 문제 및 결과를 결정해 주기를 기다리는 기간으로서 매우 의미가 있기 때문이다. 또한 이것은 그리스도의 재림과도 상당한 연관성이 있을 것으로 생각되지만, 이에 대해 완벽하게 깨달았다고 말하지는 못한다. 하지만 "사십"이라는 숫자가 시험이나 검증의 기간 또는 어떤 특정한 상황에서 하나님께서 어떤 일을 수행하시기 전에 중간 과정으로 두시는 일종의 임시 기간을 의미한다는 것은 너무나도 자명하다.

7·40 일곱과 사십 (Seven & Forty)

성경을 주의 깊게 공부한 사람이라면 누구나 발견하게 되는 가장 기이한 현상 중 하나가 바로 "일곱"과 "사십"이 갖는 특별한 관계이다. 그런데 페팅길, 게벨라인, 디한, 스코필드, 라킨, 벌링거, 사우어 등과 같은 사람들은 한결같이 이러한 관계를 놓치고 말았다.

우선 창세기 7:4에서 이 두 숫자의 관계를 주목하라. 이 구절에서는 "일곱"이란 단어가 먼저 나오고 그 다음에 "사십"이 뒤따르고 있다. 물론 이 한 구절만으로는 어떤 의미도 발견할 수 없다. 그러나 창세기 25:17에서 전혀 예상치 못한 조합으로 이러한 관계가 어떻게 다시 등장하고 있는지 주목하라. 여기 17절에서 "일곱"이란 숫자는 연속된 숫자 "일백삼십칠"의 마지막 자리 숫자이다. 그리고 계속 이어지는 문맥 속에서 그 다음에 연속으로 등장하는 숫자는 다름 아닌 창세기 25:20의 "사십"이다. 어떤 사람은 그것이 "우연의 일치"라고 말할지 모른다. 도대체 어느 정도가 되어야 우연이 아닌 것으로 보일는지 모르겠다. 분명 이 문맥에서는 "일곱"과 "사십"의 관계를 보여 주고 있는 것이다.

정말로 이것이 우연의 일치인지 아닌지 살펴보도록 하자. 레위기 12:2,4에서 이러한 관계가 어떻게 또다시 등장하고 있는지 주목하라.

레위기 12:2에서는 여인이 사내아이를 낳은 이후 "칠 일 동안은 불결하다"고 말씀하고 나서, 4절에서는 삼십삼일 동안 피의 정결을 계속해야 한다고 언급한다. 여기에서 삼십삼과 일곱을 더하면 "사십"이 되는데, 즉 일곱이 먼저 등장하고 그 다음에 두 수를 합한 값인 사십이란 숫자를 얻게 된다. 비록 실제로 뒤따라 나오는 숫자는 삼십삼이지만, 여기에는 사실상 "사십이 포함되어" 있는 것이다. 이것이 단순한 우연일지도 모른다.

그러나 민수기 13:22을 살펴보라. 이 구절 안에는 별로 상관없어 보이는 구절이 "괄호"로 삽입되어 있다. 『**(헤브론은 이집트에 있는 소안보다 칠 년 앞서 세워졌더라.)**』 그런데 세 구절을 더 지나 25절을 보면, 『**그들이 사십 일 후에 그 땅의 정탐에서 돌아왔더라.**』라고 말씀한다. 또다시 "일곱과 사십"이 연속으로 등장하고 있는 것이다. 그럼에도 불구하고 이 모든 것이 조작된 것이고 별 문제 아니라고 말하는 사람이 있을지 모른다. 그렇다면 열왕기하 11:21로 넘어가서 왕이 치리하기 시작할 때의 "나이"가 몇 세인지 살펴보라. 여호아스는 치리하기 시작했을 때의 나이가 칠 세였고, 바로 이어지는 12:1에 의하면 치리 기간이 사십 년이었다. 여기에서도 "일곱과 사십"이 연속해서 등장한다. 일곱이 나오자마자 곧바로 12장에서 사십이 뒤따라 나오는 것이다. 안타깝게도 이런 현상이 나타나는 구절들을 일일이 다 표시해두지 않아서 다 보여 주진 못하지만, 이외에도 몇 번이고 이런 관계는 더 나타나고 있다. 물론 다음과 같이 말하는 사람이 있을지 모른다. "음, 하지만 사십이 일곱이 아닌 다른 숫자들을 뒤따라 등장하는 경우들도 있는데요." 이것이 틀린 말은 아니다. 하지만 성경에서 다른 숫자들이 아닌 일곱과 함께 연속해서 사십이 등장하는 경우가 제일 먼저 발견된다. 그것도 성경의 첫 번째 책에서 말이다(창 7:4). 그리고 그 첫 구절은 "인간에 대한 심판"과 연관되는데, 이것은 일곱이 시험의 기간에 앞서 등장하고 있음을 보여 준다. 때로는 이와 반대로 일곱이 시험의 기간을 "뒤따라" 나오기도 한다.

제안을 한 가지 한다면, 성경을 살펴보면서 일곱이 사십을 뒤따라 등장하거나 그 반대로 나타나는 구절들을 일일이 표시해 보라. 비록 이러한 현상에 관해 어떤 법칙을 전혀 밝혀내지는 못한다 할지라도, 종국에 가서 실타래처럼 얽혀 있는 문제들이 해결되고 매듭이 풀리면, 확신을 가지고 짐작하건대, 이것은 시험의 기간을 끝내는 대환란(7년)과 예수 그리스도의 재림의 때와 뚜렷한 연관성이 있다는 사실을 알게 될 것이다.

1000 천(Thousand)

천이란 숫자는 그 의미를 파악하기가 매우 쉽다. 이 단어가 요한계시록 20장에서 여섯 번 등장하는데, 이것은 주 예수 그리스도께서 이 땅에 돌아오시어 그분의 왕국을 세우실 일곱 번째 날, 곧 천 년간의 안식의 날이 있기 전에 인류의 역사는 6천 년이 지나게 될 것임을 보여 준다. 이처럼 그 의미가 매우 분명한 숫자이다.

"천"이라는 단어가 등장할 때, 그것은 시대들을 나누는 구분점이 된다. 성경에서 제시되고 있는 것처럼, 이 시대들은 각각 대략적인 천 년의 기간들로 나뉜다. 첫 번째 기간은 아담으로부터 시작해서 B.C. 3000년경까지 이른다. 그 다음 기간은 대략 B.C. 2000년까지인데, 이는 B.C. 2300년경에 일어난 홍수 이후에 해당된다. 아브라함의 시대는 천 년간의 단위로 볼 때 B.C. 2000년경으로 잡을 수 있다. 그리고 솔로몬이 성전을 건축한 시기인 B.C. 1000년경과 십자군 전쟁이 일어났던 중세 암흑시대의 중간인 A.D. 1000년경을 또 하나의 천 년의 기간들로 볼 수 있다. 마지막으로 주 예수께서 이 땅에 그분의 천년왕국을 세우시기 위해 오시는 장막절 가을(9월이나 10월)에 있을 재림은 대략 2000년경이 된다. 어떤 사람들에게는 이렇게 말하는 것이 재림의 날짜를 지정하는 것처럼 들릴 수 있으므로, 이 부분에 대해서는 이 정도로만 언급하겠다.

그런데 이에 관한 구절들은 성경에 분명히 나온다. 『**사랑하는 자들아, 주께는 하루가 천 년 같고 천 년이 하루 같은 이 한 가지를 잊지 말라**』(벧후 3:8). A.D. 1000년으로 들어설 무렵 성경학자들이 그리스도의 재림에 대해 더 많이 말하기 시작했었듯이, 우리 역시 새로운 천 년(A.D. 2000)의 기간이 시작되면서 재림에 관해 이야기하기 시작했었다. 이 두 천 년의 기간 중 첫 번째 천 년 때 재림에 대해 말했던 것은 대단한 실수였다. 또한 거짓되고 일종의 사람들을 속이는 운동에 불과했다. 하지만 두 번째 천 년에 관련해서는 재림은 피할 수 없는 진리가 된다. 『**율법은 모세를 통하여 받았지만 은혜와 진리는 예수 그리스도를 통하여 온 것이라**』(요 1:17). 이처럼 첫 번째가 아니라 두 번째가 맞다. 카인이 아니라 "아벨"이다. 에서가 아니고 "야곱"이다. 이스마엘이 아니라 "이삭"과 연관된다. 즉 재림은 첫 번째 천 년, 곧 A.D. 1000년이 아니고 두 번째 천 년의 기간에 일어날 사건이다. 현재의 달력이 정확하다면 말이다.

CHAPTER

3

성경과 함께 나아가라

✍ 성경과 함께 나아가라

이상의 내용이 내가 숫자들에 관해 설명해 줄 수 있는 전부이다. 나머지 숫자들에 대해서는 솔직히 모르겠다. 하지만 그 숫자들도 의미가 밝혀질 것이다. "육십"은 분명하게도 사람의 숫자인 여섯에 이방인의 숫자인 열을 곱해서 만든 수이다. "오십"은 이방인의 숫자와 죽음의 숫자인 다섯을 곱한 수이다. "칠십"은 이방인의 수에 완성을 의미하는 일곱을 곱해서 만들어진 숫자임이 분명하다. 출애굽기 24장에는 이스라엘의 칠십 명의 장로들이 나오는데, 여기에서는 칠십이란 숫자가 강조된다. 그런데 〈칠십인역〉이라는 것이 있다. 이 헬라어 번역본을 가지고 이집트 알렉산드리아에서 이스라엘의 장로 칠십 인을 흉내내려 하는 이방인들이 있었는데, 칠십여 명의 유대인들이 그런 역본을 만들어냈다고 하는 주장은 사실 무근이다.

그리고 신명기 32:7,8에서 이스라엘 자손의 수에 따라 구분된 경계들을 기준으로 민족들이 나누어지는 것을 감안하면, 이스라엘의 칠십 명의 장로들은 후일에 이방 민족들을 구분하는 사법적인 경계선과 다소 연관이 있을 것이라 믿어 의심치 않는다. "백"이란 숫자는 분명 한 세기를 표시하는 숫자이다. "칠십"은 이방인의 숫자와 일곱을 곱한 수일 뿐 아니라 이방인의 수명의 완성도 의미하는데, 이는 우리의 연수가 칠십이기 때문이다(시 90:10). 이외에도 십오, 이십, 이십오, 삼십, 삼십오, 사십오 또는 은 일천일백 개라는 표현들도 하나님의 말씀에서 흔히 등장하지만 그 의미가 무엇인지는 아직 모르겠다. 그 해답을 알아내기 위해서는 이제껏 쏟아왔던 것보다 더 많은 기도와 공부가 필요할 것이다. 분명코 하나님께서는 부지런히 성경공부에 전념하는 사람에게 반드시 그 의미를 알려 주실 것이다.

성경의 어떤 예언도 사사로이 해석해서는 안 된다. 하나님께서 내게 보여 주시지 않은 것이 어떤 것인지 나는 모른다. 또한 내게 계시하시지 않은 내용을 다른 사람에게 보여 주실 수 있다. 주께서 〈스코필드 주석성경〉 편집위원회에 모든 것을 보여 주신 것은 아니다. 〈뉴스코필드주석성경〉 편집위원회는 말할 것도 없다. 이들은 그 이전의 〈스코필드주석성경〉 편집위원회보다도 더 많이 깨닫지 못했다. 〈뉴스코필드주석성경〉은 사도행전 8장의 각주에 침례가 일종의 "성사"라고 언급해 놓았다. 멍청한 카톨릭교도들이나 그렇게 생각하는 내용을 각주로 달아 놓은 것이다. 성경적인 견지에서 로마카톨릭교도들 이외에 침례를 "성사"라고 부르는 멍청이는 아무도 없다.

스코필드나 디한이 깨달은 진리에서 결코 멈추지 말라. 그들은 칼빈과 루터가 깨달았던 진리에서 멈추지 않았다. 또한 럭크만이나 벌링거의 지식 정도에서 멈출 생각도 하지 말라. 이들은 스탬이나 라킨이 깨달은 지식에서 멈추지 않았다.

반드시 성경과 함께 더 앞으로 나아가라. 성경은 영원한 책이다. 이 책 안에는 지금까지 어느 누구도 발견하지 못했던 것들을 계시해 줄 훨씬 풍성한 진리들이 들어 있다.

진리의 지식을 찾아서 40

성경의 숫자들

초판1쇄 / 2015년 6월 23일
초판3쇄 / 2023년 4월 28일
지은이 / 피터 S. 럭크만
옮긴이 / 편집부
펴낸이 / 말씀보존학회
펴낸곳 / 말씀보존학회
등록 / 제409-2022-000036호
주소 / 서울시 강서우체국 사서함 90호
전화 / (02) 2665-3743 · 팩스 / (02) 2665-3302
인터넷 / www.biblemaster.co.kr

값 4,000 원